DE CUIR ET DE SOIE

Molly Weatherfield, *Dangereux plaisirs*, 2013.

Lysa S. Ashton

DE CUIR ET DE SOIE

traduit de l'américain par
Zelda Joubert

PRESSES DU CHÂTELET

www.pressesduchatelet.com

Si vous souhaitez recevoir notre catalogue
et être tenu au courant de nos publications,
envoyez vos nom et adresse, en citant
ce livre, aux Presses du Châtelet,
34, rue des Bourdonnais 75001 Paris.
Et, pour le Canada,
à Édipresse Inc., 945, avenue Beaumont,
Montréal, Québec H3N 1W3.

ISBN 978-2-84592-460-4

PREMIÈRE PARTIE

I

Je ne pense pas qu'il soit utile de nommer la ville où j'ai connu le plaisir de la soumission ultime et les secrets de l'Initiation.

Vous en avez forcément entendu parler, que vous soyez américains ou non.

La ville a été représentée tellement de fois, dans les romans, les films, les séries télévisées. Parfois, les touristes qui la découvrent sont presque déçus : ils ont l'impression de retrouver un décor familier, qu'ils connaissent déjà car, dans tous les coins du monde, sur tous les écrans, dans tous les livres, ils ont eu l'illusion de vivre au cœur de cette mégalopole qui ne dort jamais, que ce soit dans les lofts somptueux des beaux quartiers où habitent des gens dont la fortune est inimaginable, les bas-fonds où règnent la misère et la violence, les grandes boutiques de haute couture, les salles de spectacle où sont passées toutes les stars du monde, les galeries d'art, les halls crasseux où les dealers font la loi, les bars de nuit que les solitaires traversent en chevauchant les flots ambrés du whisky.

Et puis cette sensation de déjà-vu se dissipe et les visiteurs sont saisis à leur tour par l'atmosphère électrique, l'énergie des rues et des avenues, les enseignes lumineuses, les sirènes de la police ou des services d'urgence, la *skyline* des gratte-ciel du quartier d'affaires, qui se découpe sur le ciel bleu quand on prend le ferry pour traverser le fleuve et se rendre dans l'État voisin.

Longtemps, dans mes moments de tristesse et d'ennui, j'ai pris ce ferry à l'embarcadère de Battery Park pour le plaisir d'effectuer la traversée. Une fois arrivée sur l'autre rive, je ne descendais pas à terre, je restais à bord et repartais dans l'autre sens. Je faisais parfois jusqu'à une vingtaine d'allers-retours dans l'après-midi, pour tromper une angoisse qui me venait je ne sais d'où.

Je le sais maintenant mais, à l'époque, je me contentais de respirer à pleins poumons l'air du fleuve, de regarder au large, avant l'océan, la grande statue qui symbolise la ville pour toute la planète et l'île fortifiée où jadis étaient accueillis les immigrants. Ces allers-retours étaient la parfaite représentation de ma vie absurde, banale. Un voyage mécanique qui ne menait nulle part. C'est Bill Reich, mon psy, qui m'a, la première fois, fait comprendre cette analogie.

Aujourd'hui que je suis une Initiée, il m'arrive de reprendre ce ferry et de recommencer ce petit manège. Mais le bateau n'est plus là pour combler mon vide existentiel, il me sert de terrain de chasse. Je demande la permission au Prince, qui me l'accorde à condition que je filme la scène avec mon smartphone et que j'obéisse à quelques contraintes.

Il exige ainsi, selon sa volonté, que je choisisse un homme blond, ou un étudiant de l'université de l'État voisin, ou même, parfois, une femme. Si je réussis, le Prince m'accorde la faveur de lui rendre hommage avec ma bouche mais, si j'échoue, je suis punie selon des modalités très particulières qui me conduisent toujours à la honte, à la souffrance et, finalement, à un plaisir à la fois violent et subtil qui est celui que seuls savent apprécier les Initiés.

La semaine dernière, par exemple, quand je fis part au Prince de mon désir d'un aller-retour sur le ferry pour chasser, il m'accorda sa permission à la condition que je trouve un homme d'au moins cinquante ans, mince, aux cheveux ras et, détail amusant, vêtu d'un costume de cette nuance très particulière de bleu que l'on trouve cette saison dans la nouvelle boutique Armani de Richmond Avenue.

J'ai eu de la chance car, parfois, avec de telles exigences, je reviens bredouille. J'ai pourtant repéré un homme qui correspondait aux exigences du Prince dès mon troisième trajet retour.

Il portait des lunettes de soleil Wayfarer parce que l'été indien s'attardait sur la ville. Il dégageait une impression de virilité incontestable et il lisait, d'un œil distrait, le *Wall Street Journal*. J'ai ressenti autour de sa personne, de sa silhouette musculeuse que l'on devinait sans peine sous le costume Armani, une certaine aura de mystère.

Je me suis demandé, un moment, s'il n'était pas lui aussi un Initié. Il est très clairement interdit par le Prince que des Initiés rencontrent d'autres Initiés sans qu'il soit au courant et qu'il orchestre lui-même les modalités de la cérémonie jusque dans ses moindres détails.

En m'approchant de l'homme par-derrière, alors qu'il s'était levé après avoir jeté le *Wall Street Journal* dans une corbeille et qu'il regardait les reflets du soleil jouer avec le fleuve, accoudé au bastingage, j'ai entrevu l'arrière de son lobe droit et je n'y ai pas vu la Marque.

J'en ai profité pour sortir mon smartphone et le photographier afin de montrer au Prince que j'avais obéi à ses exigences. Le bruit du déclic a dû, malgré celui des moteurs du ferry, l'alerter car il s'est retourné vers moi. J'avais déjà laissé retomber mon smartphone dans mon sac Miu Miu cannelle à bandoulière et j'ai pu lui offrir mon sourire le plus radieux et le plus innocent.

Je n'ai pas vu d'alliance à son annulaire gauche et je me suis approchée encore plus, comme pour l'empêcher de s'éloigner du bastingage. Il n'a pas eu l'air surpris, il a eu un sourire presque entendu, un rien arrogant. Ce sourire des hommes qui ont l'habitude de plaire.

Son hâle doré cuivrait agréablement sa peau et ne devait rien aux UV mais tout à la pratique régulière du jogging en cette arrière-saison merveilleuse. Ou aux week-ends express qu'il pouvait s'accorder sans aucun doute dans les Keys de Floride ou sur les pistes de ski d'Aspen dans le Colorado. Il avait, comme c'est la mode chez les mâles de tout âge et de toutes conditions depuis quelques années, une barbe de trois jours soigneusement entretenue.

— Vous désirez?

Sa voix était chaude, veloutée, un rien éraillée. Il s'agissait probablement d'un ancien fumeur. J'ai répondu, du tac au tac:

— Vous, je crois bien…

Quand j'imagine qu'aujourd'hui je peux dire cela sans rougir tout en gardant mon allure de jeune femme BCBG et que je me compare à celle que j'étais avant l'Initiation, je me surprends toujours un peu, mais cette surprise fait aussi partie du plaisir. Je deviens une inconnue à moi-même, avide de sexe, avide de me donner et de laisser un inconnu me profaner comme il le souhaite ou, à l'inverse, de commander à l'inconnu ou à l'inconnue rencontrés dans ce genre de circonstances. Selon le bon vouloir du Prince.

Je tiens à insister, non pas parce que j'éprouverais une quelconque gêne morale mais parce que c'est la réalité : je ne suis pas une banale nymphomane, je suis une Initiée. Si le Prince me demande une abstinence de plusieurs semaines, je ne souffre pas et, même quand il m'interdit de me toucher, je ressens aussi cela comme un plaisir – la frustration, pour qui sait la manier comme le savent les Initiés, devenant la source d'incroyables délices. Les Initiés ont accepté des règles d'une grande sévérité, mais ces règles sont celles d'un plaisir absolu et on découvre, à force de pratique assidue, qu'il n'y a pas de plus grand plaisir et de plus grande liberté que dans la soumission morale ou physique à une volonté supérieure.

J'ai attiré sans trop de difficulté l'homme en direction de la cafétéria du ferry, déserte à cette heure creuse de l'après-midi, seulement occupée par une serveuse un peu trop ronde qui restait derrière son comptoir offrant une *junk food* peu appétissante. Vers la poupe du ferry, au deuxième niveau, la cafétéria possède un angle mort avec une table et deux banquettes en moleskine rouge éclairées par un petit hublot. L'homme semblait toujours amusé, même si je sentais à un plissement de ses lèvres pleines et sensuelles que cet amusement laissait place à un certain trouble, voire à une certaine inquiétude à l'idée d'être surpris par des clients.

Je l'ai légèrement poussé pour qu'il s'assoie, presque malgré lui. J'ai senti, en les effleurant de mes doigts, ses pectoraux et j'ai humé son eau de toilette qui lui allait bien et que j'ai presque tout de suite identifiée avec ses fragrances épicées : Zen for Men de Shiseido.

Je me suis assise sur la table, face à lui, et j'ai remonté la jupe crayon de mon tailleur Dolce & Gabbana en ouvrant largement mes jambes devant son visage. Il a relevé ses Wayfarer au-dessus de sa courte brosse grisonnante et j'ai vu un regard d'un beau noir velouté où se disputaient l'étonnement et le désir. Il marqua comme une hésitation devant ce sexe d'une inconnue soudain offert.

J'aime mon sexe et j'ai mis longtemps à l'aimer. Avant l'Initiation, j'en avais parlé avec Bill Reich, je lui disais mon malaise à l'idée de ne pas avoir une chatte semblable à celle des magazines. Je trouvais mes petites lèvres trop visibles et j'avais même pensé, comme tant d'Américaines, à la labioplastie pour me conformer à des canons qui ne sont que ceux du porno de bas étage. Dire qu'il a fallu que ce soit un homme, Bill Reich en l'occurrence, qui m'en dissuade. Et de quelle façon! En rompant avec toute déontologie et en me prouvant, par l'ardeur qu'il mit en enfouissant sa grosse bouille entre mes cuisses, que mon sexe ne lui semblait pas du tout, mais alors pas du tout hideux.

Sur le ferry, je poussai donc la tête de l'inconnu vers ma chatte entièrement épilée puisque c'est ce qu'a décidé le Prince pour l'instant après une longue période où, au contraire, il a refusé que je m'épile et où je me suis ainsi retrouvée semblable aux filles des *Play-Boy* de l'époque de Jimmy Carter, avec une touffe abondante qui tire sur le roux comme le magnifique feuillage de l'immense parc au cœur de la ville.

L'inconnu a plongé son visage en moi et ce fut tout de suite délicieux. Sa langue habile trouva d'emblée mon clitoris et tourna autour de lui avec une remarquable virtuosité. Je sentis le plaisir monter en moi, ce qui me fit oublier presque aussitôt l'imperceptible calvitie qui naissait sur le dessus du crâne de cet homme qui se révélait un maestro du cunnilingus.

Il fallut que je me reprenne un instant pour ressortir mon smartphone de mon sac Miu Miu et le poser sur la table après avoir enclenché discrètement la vidéo. Depuis l'Initiation, je suis devenue experte dans ces prises de vue. Il me suffit de bouger de quelques centimètres le téléphone entre deux moments de la rencontre pour obtenir des films tout à fait appréciés par le Prince et les autres Initiés, parmi lesquels je suis considérée comme «une digne héritière des cinéastes de la nouvelle vague française».

L'inconnu m'amena assez vite à une jouissance accrue par le roulis du fleuve et la vibration des moteurs qui se transmettaient jusqu'à cette table de cafétéria transformée en vibromasseur géant. Quand il eut terminé, j'ai cru qu'il allait me demander la réciproque et je l'aidais déjà à déboutonner la braguette de son costume dont un sexe circoncis, court mais trapu et très veiné, jaillissait déjà. J'ai insensiblement bougé le smartphone de manière à ce que je puisse le soir même, avant de l'envoyer au Prince, me repasser la vidéo et en particulier le passage où l'on verrait la queue de cet inconnu forcer ma bouche et la déformer.

Mais il avait autre chose en tête, il me retourna et, ô divine surprise, commença, alors que je me retrouvais à quatre pattes sur la table en formica qui vibrait toujours, à me claquer les fesses à plusieurs reprises avec une vraie force avant de me pénétrer d'une seule poussée. Je me resserrais autour de ce sexe qui me labourait en espérant que le smartphone était convenablement orienté.

Le ferry a fait jouer la sirène au moment où j'ai senti l'inconnu se répandre en moi et que je serrais les lèvres pour ne pas hurler. Quand il s'est retiré, j'ai pris le temps de remonter mon string La Perla qui était descendu jusqu'à mes escarpins Repetto. Mes fesses me cuisaient légèrement mais bien trop peu à mon goût.

Je me suis retournée et l'inconnu avait disparu, ce qui était assez intelligent de sa part. Il avait instinctivement compris la nature de notre rencontre, purement animale, dont le but était d'assouvir nos pulsions dans l'instant, au milieu d'un fleuve qui nous ramenait vers la ville. La seule chose qu'il ignorait, ai-je pensé, était que son exploit avait été capturé par mon smartphone. Le Prince, comme les Initiés, ne se servaient bien entendu jamais de ces documents à des fins vénales et si, par hasard, nous les utilisions de manière un peu extérieure à notre groupe, les techniciens qui travaillaient pour le Prince floutaient les visages de manière à ce qu'aucune conséquence néfaste ne vienne perturber la vie de ceux qui s'étaient trouvés mêlés à notre entreprise libertine et secrète.

Maintenant, alors que nous arrivions en vue de Battery Park, les quelques passagers se rassemblaient pour sortir à pied ou regagner leur véhicule garé dans la cale. Sans doute l'inconnu faisait-il partie de ces derniers car je ne l'ai pas vu sur la passerelle alors que je descendais, le soleil dans les yeux, le corps et les sens apaisés.

2

Certaines personnes ont vu dans la ville un gros fruit et l'ont ainsi surnommée. Un gros fruit juteux que les émigrés venus de tous les coins du monde ont eu envie de croquer. Certains n'en ont eu que le trognon et traînent leur misère dans les quartiers dangereux, d'autres ont réussi à le dévorer à pleines dents et en sont devenus les maîtres.

Le mot « maître », désormais, me fait frissonner au plus profond de mon être, serre mon ventre où je sens monter la chaleur alors que mon sexe, malgré moi, se mouille comme jamais auparavant – je veux dire avant l'Initiation.

Je sais désormais que ce mot ne désigne pas seulement les hommes d'affaires, les politiques, les traders, les couturiers ou les artistes à la mode, mais aussi ceux qui règnent sur la ville de façon secrète, autour du Prince. Je ne parle pas des mafieux mais de ceux qui dirigent un véritable empire voué au sexe et au plaisir sous toutes ses formes.

Ils le font pour une élite, dans la clandestinité la plus totale, sous l'autorité du Prince. Et le plus drôle, ou le plus troublant, est que ces maîtres-là, parfois, sont les mêmes que ceux qui font la une des journaux télévisés ou des magazines branchés.

Mais il ne faut pas que j'aille trop vite en besogne, sinon le trouble qui est le mien alors que je tente d'écrire cette histoire, le corps parcouru par les ondes des orgasmes démentiels provoqués lors de ma dernière séance avec d'autres Initiés, en présence du Prince, il y a deux jours, deviendrait trop fort et je serais obligée de descendre ma main vers l'entrejambe de mon jean Versace, d'ouvrir les boutons et…

Et je ne pourrais plus taper que d'une main!

On dit que l'idée de comparer la ville à un gros fruit, une grosse pomme, est venue d'une campagne publicitaire des années 1970.

Je suis née dans les années 1970, cette décennie où le sexe s'est libéré, où les corps rencontraient d'autres corps dans des étreintes planantes, sur des coussins aux motifs orientaux, autour de narguilés. Pour moi, ces années-là sont symbolisées par ces jeunes gens qui faisaient l'amour tous ensemble, sur les musiques délirantes de Jefferson Airplane, des Pink Floyd ou Grateful Dead.

J'ai gardé ces disques en vinyle qui me viennent de mes parents, tous les deux alors jeunes professeurs dans le quartier noir de North Isola, où l'on trouvait la pauvreté, la violence, mais aussi les boîtes de jazz.

Mes parents ont pris, il y a quelques années déjà, leur retraite dans une petite maison de Pennsylvanie. Mon père me parlait assez peu, toujours légèrement gêné, je crois, par cette grande fille rousse trop sage qui était sa fille unique et qu'il n'arrivait pas forcément à comprendre, en tout cas moins bien qu'il ne comprenait ses élèves de l'école Benjamin Franklin, qui étaient pourtant de petits durs.

En revanche, maman était beaucoup plus libre et à l'aise avec moi, même si ce n'était pas forcément réciproque. Elle n'a jamais hésité à me raconter à quel point, une fois leurs cours donnés à l'école qui se trouvait au croisement de la 120ᵉ Rue et de Lexington, la vie était belle dans la ville de cette époque.

Je pense qu'elle idéalise un peu car elle vieillit et que, depuis la mort de papa, il y a deux ans, au cours d'une partie de pêche dans le Maine, elle passe ses journées à feuilleter des albums photo de ce temps-là. On la voit d'ailleurs, elle et des copines, en monokini l'été, quand elles allaient passer de longues heures à Odessa Beach. Maman avait une jolie poitrine et je suis heureuse de voir que mes seins ressemblent aux siens, avec des mamelons très fins au milieu d'aréoles larges, d'un rose tendre.

D'après maman, malgré les horreurs du Vietnam, c'était Peace and Love qui comptait, une vie plus cool qu'aujourd'hui, avec beaucoup moins d'obsession pour la réussite et plus de temps consacré à l'amour. Sans la moindre gêne, elle m'a souvent raconté, dès que j'ai eu dix-huit ans, qu'il leur arrivait, avec papa, de pratiquer la sexualité de groupe ou l'échangisme avec d'autres amis.

Durant l'été 1976, qui avait précédé ma naissance, ils étaient même partis six mois en Californie dans des minibus Volkswagen et, là-bas, ils avaient vécu en communauté du côté de Big Sur, au milieu d'écrivains de la génération *beat*. Les photos de maman sont là pour prouver ses dires, ils ont tous l'air jeunes et heureux, et ils sont la plupart du temps à moitié nus. Les voitures et les objets autour d'eux me donnaient l'impression d'avoir des couleurs plus vives et plus chaudes qu'aujourd'hui.

Maman est tombée enceinte de moi mais, comme elle ne faisait pas l'amour qu'avec papa, il y a toujours eu un doute, qu'elle assumait. Moi, je trouve que si mes seins ressemblent à ceux de ma mère, j'ai plutôt les yeux et le nez de papa, ce que pas mal de gens disaient d'ailleurs quand j'étais enfant. Mais enfin, si ça se trouve, je suis la fille de Jack Kerouac...

Il ne m'importe plus, aujourd'hui, de savoir exactement si mon père était mon père ou non : l'Initiation m'a libérée de ces soucis d'un autre temps. Je crois que, grâce au Prince et aux autres Initiés, je me suis affranchie de toute une série de préjugés et de scrupules qui m'ont longtemps paralysée. Tout comme mon corps est devenu apte au plaisir, à l'humiliation, à la souffrance dans la jouissance et a atteint des limites orgasmiques qui m'étonnent moi-même quand je redescends après une cérémonie.

D'après Bill Reich, ce genre de confidences maternelles aurait pourtant eu l'effet inverse de celui recherché. Maman me trouvait trop sérieuse alors que j'étudiais en fac le droit et les sciences politiques. En même temps, je ne lui avais pas raconté le quart de ce que j'avais imaginé quand mon cerveau était devenu une véritable petite usine à fantasmes au cours de l'adolescence.

Maman comparait sans arrêt sa jeunesse à la mienne et ne cessait de répéter que je manquais quelque chose en refusant de mettre un peu plus de folie dans ces années qui ne reviendraient plus. Elle ne manquait jamais, les dimanches, quand je me retrouvais avec eux et leurs amis pour un barbecue dans le jardin de la maison de Brookside, de s'inquiéter de ne pas me voir avec un petit ami. En fait, je me sentais complexée par la liberté de ton de maman et par ma rousseur aussi. Même si j'avais déjà compris que je ne laissais ni les garçons ni même certaines filles indifférents.

Mes cheveux comme mon pubis me paraissaient terriblement... comment dire... terriblement visibles. J'avais l'impression que tous les regards se tournaient vers moi et je rougissais, ce qui, chez une rousse, est encore plus gênant car cela prend des proportions terribles! Par rapport aux récits que maman me faisait de ses partouzes plus ou moins cosmiques avec ses copains babas cool ou beatniks, je n'avais connu, pour ma part, que des expériences certes troublantes et excitantes, mais assez décevantes et plutôt frustrantes car incomplètes.

3

Ma première expérience sexuelle fut assez tardive et intervint lors de ma première année de sciences politiques. Je la dois à Cynthia Roy, avec qui je partageais une chambre sur le campus de Jackson. On était au milieu des années 1990, Cynthia venait du Nebraska et n'écoutait que Bruce Springsteen. C'était une fille assez brillante, bien décidée à faire carrière comme assistante d'un homme politique avant de se présenter elle-même. Elle se rêvait première femme présidente des États-Unis et espérait qu'Hillary Clinton, qu'elle trouvait plus intelligente et charismatique que son mari, n'allait pas la griller en entrant avant elle à la Maison Blanche.

C'était un vrai canon, une grande blonde nourrie au lait frais du Middle West, dont les parents étaient de riches agents immobiliers d'Omaha. J'enviais sa silhouette musclée par le fitness et ses gros seins fermes que je dévorais des yeux quand elle prenait sa douche dans la minuscule salle de bains de notre chambre. J'étais mesquinement heureuse qu'elle soit obligée de porter un appareil d'orthodontie qui l'empêchait de sourire aussi largement qu'elle l'aurait souhaité car j'enviais aussi pas mal d'autres choses chez elle : la façon dont elle se maquillait avec des produits de beauté français qui valaient une fortune, ses fringues de marque alors que je devais me contenter, au mieux, de 501 et de T-shirts blancs Fruit of the Loom, ayant abandonné mon look romantique du lycée avec longue jupe et chignon savamment effondré.

Cynthia était pourtant adorable avec moi. Elle me prêtait son maquillage, m'a appris à me faire le tour des yeux sans que, pour autant, je ressemble à une gothique et elle m'aidait, à l'occasion, à comprendre en bibliothèque les subtilités du bicamérisme dans le Wisconsin.

Surtout, c'est à elle que je dois, donc, mon premier vrai rapport sexuel. J'entends la perte de ma virginité. Ce que la génération de papa et maman n'imagine pas, c'est à quel point les filles et les garçons d'aujourd'hui, les filles surtout, ont pour la plupart une sexualité insatisfaisante.

Quelques films ou quelques romans ont fait croire, par exemple, que la fac était le lieu de toutes les défonces et de toutes les orgies. C'est peut-être vrai pour les universités spécialisées dans l'art et dans le cinéma, sur la côte Ouest, à Berkeley ou à l'UCLA, mais dans l'immense majorité des cas, les étudiants américains sont déjà stressés comme ils le seront dans leur vie professionnelle. Ils dépendent d'une bourse ou de petits boulots crevants et ils ne peuvent pas se permettre de rater un semestre, sauf s'ils jouent dans l'équipe de football ou de base-ball. Non, il n'y a pas tous les jours de ces fêtes interminables où tout le monde baise avec tout le monde.

L'atmosphère, en réalité, est studieuse et inquiète. Et la salle de bibliothèque est bien plus remplie de têtes penchées sur des ordinateurs portables avec, posés à côté, de gros volumes de droit ou d'histoire, le tout dans un silence de cathédrale, que ne le sont le foyer de la fac ou les bars pour étudiants des environs.

Il y a bien sûr quelques originaux, ou quelques fêtards, qui se prennent soit pour Edgar Poe, soit pour

Bret Easton Ellis, qui couchent indifféremment avec filles et garçons, écrivent des poèmes pleins de corbeaux et de femmes en robe blanche qui apparaissent avec des pâleurs de fantômes dans des maisons en ruine. Ils boivent des Cuba libre, des vodkas mélangées avec des boissons énergisantes et ils sniffent des lignes de coke en essayant de convaincre des demoiselles de tourner des pornos amateurs qu'ils déguisent en films d'avant-garde. Il y a aussi ceux qui jouent de la musique expérimentale dans des caves ou des garages abandonnés en espérant qu'un producteur passera par là, mais tous ceux-là ne forment qu'une communauté minoritaire à laquelle, par exemple, ni Cynthia ni moi n'appartenions.

Comme toutes les étudiantes de cette époque, j'avais évidemment vu des films pornographiques, mais le jeu des acteurs me semblait sans aucune commune mesure avec la vraie vie.

Dans ces films, les garçons comme les filles paraissaient provenir d'une même usine qui les aurait fabriqués en série. Les garçons étaient soit très fins, et on aurait dit qu'ils sortaient à peine de l'adolescence, soit ils avaient des muscles de culturistes et étaient tatoués de toutes les façons imaginables. Quant aux filles, là aussi, on avait l'impression qu'elles avaient été dupliquées en laboratoire par les mêmes concepteurs. Qu'elles soient noires, latinos ou blanches, elles possédaient des mensurations à rendre jalouses les mannequins de *Vogue* : taille incroyablement fine et seins beaucoup trop gros – sans doute, pour la plupart d'entre elles, siliconés. Comment expliquer, sinon, que des seins aussi gros, même quand elles chevauchaient le corps de leur partenaire, ne bougeaient presque pas ?

C'est en découvrant leurs vulves rasées aux lèvres régulières jusqu'à la perfection que j'avais commencé à complexer sur ma propre chatte, qui me paraissait affreuse et dont j'avais honte, ce qui ne facilitait pas mon contact avec les garçons, déjà que je rougissais dès qu'un deuxième année m'adressait la parole dans la file du self.

Le seul point de comparaison que j'avais sur cette question de ma chatte, puisque j'étais enfant unique, était finalement le sexe de Cynthia quand elle prenait sa douche.

C'était une vraie blonde et elle ne s'épilait qu'à la marge. La contempler, en toute discrétion bien sûr, me rassurait un peu. Cynthia avait un sexe qui lui ressemblait, assez naturel, où l'on devinait l'architecture irrégulière des grandes et des petites lèvres sous les poils clairs, follets, plaqués par l'eau.

J'imaginais aussi que les garçons devaient avoir le même genre de complexes. Les bites des acteurs masculins de pornos sont de vrais troncs, épais, longs, fièrement érigés en un arc impeccable, sans veines sur le côté, avec un gland jamais cramoisi mais gardant une élégante couleur fuchsia. Et, quand leur engin n'est pas au garde-à-vous, il repose sur des couilles impressionnantes formant un paquet imposant qui me laissait rêveuse.

Avant ma première expérience, j'avais tout de même joué avec des sexes masculins, dans des circonstances semblables à tant de jeunes Américaines. Mais à cela s'était ajoutée une série de coïncidences troublantes, de signes qui m'indiquaient déjà, sans que je m'en rende compte vraiment, que le sexe pouvait ouvrir sur une autre dimension, réservée à quelques privilégiés qui connaîtraient les bonheurs de l'Initiation.

4

Je m'explique.

Juste avant ma rencontre avec Gene, mon mari Gene, j'ai lu dans un magazine féminin une enquête sur les pratiques sexuelles à travers le monde. La fellation, qui est une caresse banale chez nous, est au contraire beaucoup plus intime en Europe, où elle est considérée comme un don total. En Amérique, c'est un acte presque normal, allant de soi, même dans un flirt si les partenaires s'estiment trop jeunes pour un rapport sexuel avec pénétration. Nous accordons en revanche plus d'importance à notre virginité que les Européennes, raison pour laquelle nous sommes prêtes à calmer les ardeurs d'un garçon en le suçant pour la préserver. La pipe peut aussi être une manière gentille de conclure une histoire sans lendemain alors que les Italiennes ou les Françaises, par exemple, ne commenceront à sucer leur partenaire qu'après avoir entamé avec eux une liaison estimée sérieuse.

C'est ainsi que, avant même d'avoir connu ma première expérience, j'avais déjà sucé quelques garçons durant l'adolescence, comme toutes les filles de tous les milieux. J'avais seize ans quand j'ai pris en bouche mon premier sexe masculin. C'était l'été, les derniers jours de classe arrivaient, le lycée s'enfonçait mollement dans une douce léthargie. Mon lycée, le lycée

Mason, se trouvait à Brookside Est. On discutait près du terrain de sport avec des copines quand j'ai vu arriver Sam Atkinson.

Sam bénéficiait d'une certaine célébrité, il animait un club de littérature et avait publié des vers dans le journal du lycée. À ma connaissance, cependant, Sam ne se droguait pas, ou un peu d'herbe à l'occasion. Il rêvait, d'ici deux ans, d'intégrer une fac de littérature créative.

Comme il ne voulait pas trop passer pour un «intello», il était tout de même membre de l'équipe d'athlétisme, un assez bon coureur de demi-fond d'ailleurs. Cela se voyait à sa silhouette longiligne, ses muscles fins et sa chevelure blond cendré qu'il retenait par un serre-tête en mousse quand il courait. Il bénéficiait ainsi, au lycée, d'un statut assez rare, qui le faisait bien voir des intellos et des sportifs.

Il avait un beau visage, à peine gâché par un léger strabisme et un nez peut-être un peu fort. Il s'habillait simplement, de façon assez neutre et élégante, mettant des vestes de tweed au-dessus de pantalons chino dont le beige variait jusqu'au blanc selon les saisons. On oubliait tout à fait ses petites imperfections physiques quand il lisait ses poèmes dans la bibliothèque, les jours de réunion du club, ou qu'il tentait de nous convaincre du génie de Robert Frost.

Pour bien comprendre la situation, il faut savoir qu'une partie des filles du lycée, les romantiques auxquelles j'appartenais, menait une guerre larvée contre celles qu'on appelait les pétasses, qui nous le rendaient bien.

Les romantiques comme moi portions des robes longues, de la dentelle, et nous gardions les cheveux libres sur nos épaules, nous contentant parfois d'un chignon retenu par un ruban de velours. Nous avions pour modèles les héroïnes de Jane Austen ou des *Hauts de Hurlevent*. Nous voulions ressembler aux filles des tableaux préraphaélites anglais. On affectait des mines mystérieuses, on donnait à nos regards des allures rêveuses, on écoutait de la techno *lounge* ou de la musique planante, Tangerine Dream ou Jean-Michel Jarre. Nous rêvions de Rhett Butler comme d'un idéal masculin, et les plus délurées osaient même parler de James Dean dans *À l'est d'Eden*. Nous nous récitions, avec des trémolos dans la voix, des poèmes d'Emily Dickinson ou de Robert Owen au club littérature de Sam Atkinson. Une fois, Sam avait voulu nous faire lire du Charles Bukowski et la plupart d'entre nous s'étaient récriées. Ce que nous, les romantiques, voulions, c'était avant tout l'élégance de l'expression et des sentiments, retrouver les voies de l'amour courtois.

Je pourrais en sourire maintenant que je suis une Initiée et que je sais les plaisirs du bondage, du fouet et des pinces à seins. Pourtant, je ne peux regarder sans une certaine sympathie nostalgique cette adolescente qui aurait tellement aimé rencontrer un prince charmant ou aller consoler Gatsby le Magnifique.

Contre les romantiques, il y avait donc les pétasses. La différence était essentiellement dans le look qu'elles avaient adopté. Elles avaient toutes, à l'époque, plus ou moins envie de ressembler à Madonna mais, malgré leurs tenues provocantes qui flirtaient avec le gothique, je le comprends aujourd'hui, c'étaient des jeunes filles sages, aussi sages que nous et qui ne rêvaient que d'intégrer une fac. Peut-être aussi souhaitaient-elles, plus que les romantiques, se servir de la fac non pas pour leur épanouissement personnel mais pour trouver un bon parti.

Mais ce n'est même pas certain...

D'ailleurs, qu'ai-je fait, moi la romantique, en épousant Gene ? Utiliser le statut social procuré par mes études pour trouver un bon parti, qui me permet de faire mes courses chez les traiteurs chic d'Isola plutôt que dans les Wal-Mart, de rouler dans un cabriolet BMW série 3 plutôt que dans un break familial d'occasion, de m'habiller dans les boutiques de grandes marques plutôt que d'attendre les soldes de chez Gap, d'aller au spectacle sans avoir à prendre le métro parce que le prix d'un taxi ne grèvera pas mon budget...

Le point commun entre les romantiques et les pétasses était néanmoins l'absolue nécessité d'avoir un petit ami. Et, à vrai dire, je n'en avais pas eu de l'année, au point que certaines copines me regardaient en se demandant si je n'étais pas lesbienne. Mais je n'éprouvais aucune attirance pour mes semblables. Quoique, pour être tout à fait honnête, lors d'une soirée donnée dans le quartier de Five Points par une pétasse de terminale, où je m'étais trouvée invitée par je ne sais quel malentendu, j'ai connu un instant de trouble. Et même un peu plus.

Je m'étais habillée de façon à ne pas détonner et j'avais changé mes habituelles robes longues pour une minijupe offerte par une tante pour mes quinze ans.

Elle avait dû la trouver en solde chez Bloomingdale's et je ne l'avais jamais mise, la trouvant trop osée ou, justement, trop pétasse. Arrivée à cette soirée, je me suis sentie mal à l'aise au début et je n'ai donc pas refusé plusieurs verres de punch, un peu trop dosé pour moi qui ne buvais jamais d'alcool ou presque en dehors des fêtes de famille.

Ce devait être en 1992, parce que le DJ improvisé, un grand boutonneux pourtant collé par trois pétasses, passait sans arrêt des morceaux extraits de *Dirty Dancing* comme « She's like the Wind » ou « The Time of my Life » et que les garçons s'amusaient à imiter avec plus ou moins de succès le déhanchement de Patrick Swayze.

La pétasse qui m'avait invitée à sa soirée, à un moment, pour rire, s'est mise à vouloir danser avec moi. Je me suis laissé faire, tout aussi amusée. On ondulait, les mains sur la taille de l'autre. Je sentais sa transpiration se mêlant à son eau de toilette, un truc français, genre Dune de chez Dior, et je ne savais plus si j'étais écœurée ou bizarrement excitée par ce mélange. Son regard pétillait, mes mains ont glissé un peu plus bas et se sont retrouvées sur ses hanches, moulées par une jupe en cuir rouge qui la serrait. Le contact du cuir chaud, ses hanches qui roulaient, son odeur presque fauve de fille en rut : il y eut comme un choc en moi.

Peut-être était-ce déjà un signe annonciateur de ce que j'allais devenir, de l'ardeur que j'allais mettre des années plus tard à mon Initiation et à ma recherche des chemins de la soumission ultime. Je sais que mon cœur s'est mis à battre et que j'ai eu l'envie irrépressible d'embrasser les lèvres gonflées et humides de ma partenaire, de lui fourrer ma langue dans la bouche, de boire sa salive, de lécher la sueur que je voyais perler sous ses aisselles rasées.

J'aurais voulu, devant tout le monde, qu'elle entame avec moi une violente *dirty dance*, qu'elle me tire par les cheveux, qu'elle me force à m'agenouiller, qu'elle se débarrasse de l'épaisse ceinture qu'elle avait autour de la taille et qu'elle me fouette devant l'assistance, de toutes ses forces, que je sente la ceinture lacérer la chair tendre de mes fesses, que je sente les coups, le feu du cuir les enflammer, que je devine sans les voir comment elles rougissaient chaque fois que la ceinture me cinglait, comment le sang commençait à marquer certaines lacérations…

Je prétextai alors une envie d'aller aux toilettes pour interrompre cette danse qui me mettait hors de moi, qui me rendait folle de désir et de frustration. Je bousculai un couple en invoquant une urgence, fermai le verrou derrière moi, m'assis sur le couvercle de la cuvette, retirai ma culotte que je n'avais jamais vue aussi trempée et je fis jouer mes doigts dans ma toison presque inondée, dans un va-et-vient vraiment violent, bien différent de mes séances masturbatoires habituelles, où je jouais presque indolemment avec mon sexe. Là, j'avais besoin de rapidité et de brutalité. Je voulais assouvir dans une explosion orgasmique cette envie irrésistible de jouir qu'avaient fait naître en moi la danse et le fantasme de la flagellation, déclenché par le contact du cuir, son odeur animale qui appartenait autant à la minijupe elle-même qu'à sa propriétaire.

Je crois que je dus, après cette soirée que je quittai hâtivement, dormir douze heures d'affilée, les effets du punch venant compléter cet hallucinant orgasme apparemment lesbien, mais dont j'avais pourtant deviné qu'il avait, avant tout, été provoqué par le contact de mes mains sur la minijupe en cuir rouge.

Deux jours plus tard, j'avais oublié cet épisode, et s'il me revient en mémoire aujourd'hui c'est parce que j'ai décidé de raconter mon long chemin vers le Prince et l'Initiation. Je prends conscience, à la fois amusée et surprise, au détour de l'écriture, qu'il y avait nombre de signes annonciateurs, et depuis très longtemps. Je m'aperçois aussi que je n'ai jamais raconté cela à mon psy, Bill Reich, et que ce souvenir ne m'est même pas revenu quand il s'est mis à me lécher sur son divan d'analyste, le jour de cette séance si particulière.

Pourtant, et j'en reviens à Sam Atkinson en ce matin d'été près du terrain de sport ensoleillé, ce fut le seul fantasme saphique de mon adolescence, une adolescence qui allait se limiter à quelques flirts poussés jusqu'à la fellation.

Quand Sam s'est installé au milieu de nous, nous avons parlé de tout et de rien, de l'année scolaire qui allait s'achever, du sommaire du dernier numéro du journal du club de littérature qu'il fallait boucler.

La conversation a aussi dérivé sur le bal de fin d'année. Nous nous accordions toutes, nous les romantiques, à trouver ce rituel idiot, surtout cette quasi-obligation de venir accompagnée de quelqu'un du sexe opposé. Comme si nous devions, en quelque sorte, dès l'âge de quinze ou seize ans, mimer les adultes et jouer au petit couple officiel. Je savais d'ailleurs que maman, en ancienne baba cool, m'approuvait dans ce refus, trouvant tout cela ridicule et conservateur.

Nous mangions, je me souviens de ce détail, des sandwichs au concombre et au pastrami, achetés au Delikatessen Ethan Goldberg, à deux rues du lycée. Sur le terrain de sport, on entendait juste le bruit des balles sur les battes de base-ball de l'équipe qui s'entraînait pour le dernier match de la saison.

La température montait et le ciel bleu se brouillait, on ne voyait presque plus, dans le halo de chaleur, la silhouette du building Chrysler, une des gloires de la ville et de la presqu'île d'Isola.

Certaines des filles s'assoupissaient, d'autres avaient décidé de rentrer chez elles. Moi, je m'étais mise à l'ombre, derrière un des grands peupliers qui bordaient le terrain de sport. J'avais le dos appuyé contre le tronc et je rêvassais, une canette de Seven Up à la main, le regard perdu vers le haut mur qui marquait la limite du lycée. À cet endroit, comme le mur était aveugle et que le peuplier masquait le terrain de sport et les bâtiments administratifs, on se trouvait à l'abri des curieux.

Soudain, j'ai senti que Sam Atkinson était à côté de moi. Lui aussi était allé chercher un Seven Up au distributeur. Il avait le front luisant et il avait retiré sa veste en tweed, qu'il posa sur l'herbe. Dieu merci, il n'avait pas d'auréoles de sueur sous les bras. Je crois que j'avais compris ce qu'il voulait avant même qu'il ne le sache lui-même.

Il m'a proposé une cigarette que j'ai acceptée alors que je ne fumais pas, et lui non plus je crois bien. Il avait l'air troublé et, en baissant les yeux sur son pantalon chino, j'ai vu qu'il bandait. C'était d'une précision anatomique. Il portait un caleçon comme cela me serait confirmé tout à l'heure. Sa queue avait dû, en se raidissant, glisser à travers l'ouverture du caleçon et, maintenant, elle était moulée par la toile beige du pantalon.

Nous avons écrasé nos cigarettes dans nos bouteilles vides de Seven Up. Il m'a demandé, en totale contradiction avec ce que nous avions dit précédemment :

— Veux-tu être ma cavalière pour le bal de fin d'année ?

Et moi aussi, en toute contradiction, j'ai répondu :

— Ce serait avec un grand plaisir, Sam.

Alors, il s'est penché vers moi et il m'a embrassée. C'était le premier baiser qui me faisait comprendre qu'il pourrait y avoir une suite. Avant, il s'agissait de simples baisers avec des garçons dont je savais qu'ils marquaient le sommet du flirt. Ils avaient lieu lors d'anniversaires ou de sorties en groupe au cinéma, et cela se passait toujours devant témoins.

Mais là, à part les joueurs de base-ball au loin et deux romantiques qui s'étaient endormies à une vingtaine de mètres de nous, Sam et moi étions seuls. Je glissai une main sous sa chemise. Son torse était glabre, comme celui du Prince, à part quelques poils autour des tétons que j'eus l'envie de pincer. Ce que je fis et ce qui fit sursauter Sam.

— Je t'ai fait mal ?

— Pas du tout mais…

Il avait l'air surpris par cette caresse et m'embrassa de nouveau tout en glissant à son tour sa main sous mon T-shirt. Il s'escrima un peu maladroitement sur le soutien-gorge, renonça et me caressa les seins en forçant l'armature. Il cessa un instant de m'embrasser pour m'interroger presque timidement :

— Est-ce que tu as déjà…

— Déjà quoi ?

Je savais parfaitement ce qu'il voulait me demander mais je jouai l'innocente, je prenais plaisir à son trouble plus qu'à ses caresses assez inexpérimentées sur mes seins, dont il roulait les mamelons comme il l'aurait fait avec de la mie de pain.

— Déjà… déjà fait… Fait l'amour !

— Non, pas encore.

Il a eu l'air déçu, je l'ai senti. Il devait chercher, notre poète, lui aussi à perdre son pucelage.

— Est-ce que tu voudrais… Avec moi ?

Entre deux baisers, sa main avait retroussé ma longue robe en lin jusqu'à mi-cuisse et je lui facilitais la tâche en écartant les jambes, alors que ses doigts fins exploraient désormais mon intimité.

Je mouillais, moins que lors de la *dirty dance* avec la pétasse, mais je mouillais. En même temps, je n'avais pas envie de le sentir sur moi, de me faire pénétrer et de perdre mon pucelage sous ce peuplier.

— Peut-être, lui ai-je répondu, mais pas maintenant.

Il a eu l'air déçu. Alors, autant parce que je voulais voir de quoi il s'agissait que pour le consoler, j'ai déboutonné son chino et son sexe raidi a jailli devant moi. Il n'était pas circoncis, mais l'excitation l'avait décalotté et le gland était humide.

C'était la première fois que je voyais, dans la vie réelle, un sexe en érection.

Il me sembla énorme.

Il est vrai que je n'avais pas de point de comparaison, à part quelques images pornographiques attrapées au hasard et, dans ces cas-là, je m'identifiais plus à la femme, observant comment elle réagissait, si elle avait l'air de prendre du plaisir ou pas, à s'emparer de tous ces sexes tendus, gonflés, prêts à lui faire subir les derniers outrages.

Sam Atkinson se redressa et se mit à genoux. Il porta son sexe vers mon visage, je sentis la peau tendre, à la fois inquiétante et fragile, venir heurter doucement mes lèvres et chercher à s'insinuer.

Si Sam était toujours, comme moi, techniquement vierge, il avait déjà dû, néanmoins, se faire sucer car il savait ce qu'il voulait et il me guida avec précision, tout en passant sa main dans mes cheveux roux :

— Va plus loin, avale un peu plus, arrête, fais tourner ta langue, vas-y, doucement... Laisse-moi la ressortir. Branle-la un peu...

Plus que la sensation de ce sexe dans ma bouche, j'aimais déjà, je crois, bien davantage, la sensation d'être dominée que cela supposait.

La fellation me plut d'emblée. Je n'ai compris que bien plus tard pourquoi. Parce qu'elle est une des premières étapes dans l'apprentissage de la vraie soumission, celui auquel allait me confronter le Prince lors de mon Initiation. Celle qui suce est certes dominée mais le plaisir de celui qui est sucé dépend de l'habileté de la suceuse. Comprendre cet aspect double dans le rapport entre la soumise et le maître est un immense pas vers le plaisir et les mystères du sadomasochisme – un nom bien banal pour ce que le Prince a élevé au rang d'un art, d'une science, d'une religion!

Ce jour-là, je demandai même à Sam de se mettre debout, de s'adosser au peuplier de manière à ce que je puisse être à genoux devant lui pour accentuer ce plaisir que je sentais en moi et qui ne venait ni directement du sexe dans ma bouche, ni de ma main avec laquelle je me masturbais, mais de la situation elle-même. C'est-à-dire moi, derrière ce peuplier, au risque d'être surprise, à genoux devant un garçon du lycée et son sexe que j'embouchais avec conviction.

Sam apprécia mon idée et émit un rire sur une tonalité que je ne lui connaissais pas. Seulement, quand je me retrouvai à genoux devant lui, il perdit toute retenue, emprisonna ma tête et la fit aller de plus en plus vite autour de son sexe. J'avais la sensation d'étouffer, je voulus protester mais je ne pus pousser qu'un grognement indistinct.

Heureusement, il jouit assez vite et je fus obligée d'en avaler une partie – goût salé ou plutôt fumé qui devait, pendant les quelques jours qui suivirent, me faire refuser, à la grande surprise de ma mère, les tranches de saumon de chez Ethan Goldberg. Le reste du foutre s'égara dans mes cheveux, sans compter quelques gouttes résiduelles sur mon T-shirt.

J'avais les larmes aux yeux, moitié de dégoût, moitié de colère. Sam s'excusa, fut très gentil, me tendit des mouchoirs en papier et m'invita à boire un autre Seven Up à la cafétéria du lycée. J'acceptai mais je me promis de me venger, ce que j'accomplis assez facilement en lui faisant faux bond le jour du bal de fin d'année.

Je venais de vivre l'expérience de la jeune fille américaine dans sa première rencontre avec le sexe masculin. On ne donne pas sa virginité mais on calme les ardeurs avec sa bouche.

5

La situation se reproduisit avec le remplaçant de Sam pour le bal de fin d'année.

Le garçon s'appelait William Blake. Avoir le nom d'un poète célèbre – ce qu'il n'avait même pas réalisé – ne semblait pas avoir influencé la vie, le style ou l'intelligence de ce jeune homme dont le principal mérite était d'être un très grand receveur au base-ball, qui avait d'ailleurs été repéré par une fac de second ordre dans l'Indiana.

Le lendemain de mon expérience avec Sam Atkinson, j'étais revenue au lycée pour un rendez-vous avec la conseillère d'orientation, afin de choisir avec elle les matières pour ma dernière année. Et c'est ensuite que je tombai sur William Blake.

Avant que je vous parle de lui, il me semble toutefois utile d'évoquer cet entretien, car la façon dont il s'est déroulé, au moins pour moi, montre bien encore une fois quelles étaient mes prédispositions innées à l'aventure qui allait m'arriver, près de vingt ans plus tard, quand commencerait, grâce au Prince, l'histoire de mon Initiation, de mon apprentissage vers toujours plus de plaisir.

Dans le bureau de la conseillère, une femme d'un certain âge, toujours habillée du même tailleur à la couleur indéfinissable, je n'écoutais que d'une oreille distraite le bilan de mon année scolaire, qui n'était pas si mauvais, excepté les mathématiques. Elle s'appelait Mlle Simpson et souffrait que son nom soit aussi celui des héros du célèbre dessin animé. Comme sa voix était un peu rauque, les élèves du lycée l'avaient assez vite surnommée Marge, alors que son prénom était Joséphine, ce qui n'est pas non plus évident à porter. J'entendais bien Marge Simpson commenter mes performances en histoire américaine, en littérature anglaise, mais cela n'imprimait pas. Devant mes yeux repassaient les images de mon flirt poussé avec Sam Atkinson.

Quel idiot, ce Sam, quel maladroit ! Tout avait si bien commencé. J'avais pris un réel plaisir à ses baisers mais, pour le reste, quel fiasco ! J'avais pourtant l'impression que quelque chose de fabuleux aurait pu se passer. Même la façon un peu brutale dont il avait trituré mes mamelons ne m'avait pas déplu.

Je comprends aujourd'hui, maintenant que je suis une Initiée, qu'il aurait pu se montrer encore plus violent dans sa façon de me malaxer les seins, mais j'aurais voulu qu'il soit conscient de ce qu'il faisait, j'aurais voulu qu'il me dise : « Voilà, tu vas souffrir parce que je veux te faire mal, je veux que tu sentes mes doigts te pincer, te presser, te soumettre. » Mais non, il avait agi par pure inexpérience. Il s'était à peine intéressé à mon sexe, que j'avais dû caresser moi-même la plupart du temps.

J'avais cru que la scène allait reprendre un cours plus favorable quand il s'était montré directif au moment où je me trouvais à genoux devant lui, son sexe dans ma bouche, avec la peur d'être surprise et cette chaleur qui m'envahissait tout entière, du bas de mon ventre jusqu'à la racine des cheveux, me rendant plus chaude que cette chaude journée de début d'été. Et je crus que j'allais vraiment jouir quand il a retenu ma tête, me forçant à accélérer le va-et-vient de mes lèvres autour de sa tige gonflée dont le volume semblait encore augmenter dans ma bouche. Mais, là non plus, il ne cherchait pas explicitement à m'humilier. Il ne voulait que son plaisir, de manière totalement égoïste. Il craignait, comme un enfant qui a peur que son goûter lui soit retiré, de ne pouvoir éjaculer parce que, peut-être, j'aurais décidé de m'arrêter en cours de route.

Sam Atkinson m'avait transformée en objet, mais contrairement à ce que je connais désormais lors de mes séances avec le Prince ou d'autres Initiés, cela n'avait pas au préalable été négocié par contrat. Une soumise ne peut prendre et donner du plaisir à son maître seulement s'il sait que c'est une volonté partagée. Vous ferez ce que vous voulez de moi parce que moi-même je le veux, moi-même je souhaite de tout mon être devenir un simple objet pour vous servir jusqu'aux limites de votre jouissance qui sera aussi la mienne.

Je n'en veux pas, aujourd'hui, à Sam Atkinson qui fut le premier garçon à jouir dans ma bouche. Après tout, c'était encore un adolescent, à peine un jeune homme. Et son amour de la poésie, son style *preppy*, cette façon dandy cool, presque anglaise, de se comporter masquaient son inexpérience.

Moi-même, je ne me connaissais pas encore – d'ailleurs, j'ai mis tellement longtemps à me connaître, à connaître la vraie nature de mes désirs, de ma sexualité. Comment aurais-je pu expliquer tout cela à Sam Atkinson, alors que nous avions seize ans et que, même devenue femme, il m'a fallu un si long chemin pour comprendre les joies ineffables de la soumission ? Cette soumission qu'ont théorisée le Prince et les Premiers

Initiés, qui est comme une religion entièrement vouée à l'idée du plaisir.

Non, je n'étais encore qu'une oie blanche, étonnée elle-même par des pulsions incompréhensibles : l'émoi dévastateur provoqué par la minijupe de cuir rouge de la pétasse lors de la soirée de Five Points ou le fait de m'être retrouvée prosternée devant le sexe érigé de Sam Atkinson.

C'étaient des signaux d'alarme que je ne peux interpréter que maintenant, vingt ans après.

Alors, je n'étais qu'une lycéenne assise en face de sa conseillère d'orientation, évitant de croiser son regard de peur qu'elle puisse y lire mes pensées. Je contemplais tour à tour les classeurs métalliques, le planning multicolore de l'emploi du temps des élèves, le présentoir couvert de brochures éducatives, la bannière étoilée au-dessus du bureau, le soleil qui filtrait par les persiennes, tout sauf le regard de Marge Simpson, dans son éternel tailleur.

Je répondais machinalement à ses questions, mais mon esprit vagabondait et j'avais l'impression d'avoir encore le goût du foutre de Sam Atkinson dans la bouche alors qu'aussitôt rentrée dans la maison de Brookside, la veille, j'étais allée me brosser les dents durant vingt minutes avant de prendre une douche où je me masturbai de manière à évacuer la frustration et la colère provoquées par le comportement de mon poète en herbe.

Cette frustration, pourtant, persistait ce matin et expliquait pourquoi l'entretien avec Joséphine Simpson virait au monologue. Mais elle devait être habituée aux adolescents qui restaient muets et écoutaient d'un air ennuyé ses recommandations, leur signaler qu'elle avait envoyé un courrier à leurs parents pour les rencontrer ou qu'il allait falloir fournir un gros effort en physique pour rattraper ce D qui risquait de compromettre le passage dans la classe supérieure.

Je me surpris à me demander quelle pouvait être la vie de cette femme en dehors de son travail au lycée. Même quand on interrogeait des anciens, lors de fêtes ou de soirées, ils répondaient qu'ils l'avaient toujours connue là.

Comme la couleur de son tailleur, elle n'avait pas d'âge clairement définissable. Elle était mince, presque sèche, assez grande. Elle était toujours coiffée du même chignon sage, sévère, dont la densité et la hauteur indiquaient que sa chevelure, presque entièrement blanche maintenant, avait été une abondante toison noire comme le jais. Elle ne portait jamais de maquillage et assumait quelques rides d'expression autour des yeux et de la bouche. Ses lèvres étaient minces et elle parlait avec une voix de fumeuse. On ne l'avait pourtant jamais vue allumer une cigarette, même dans la zone autorisée du parking où elle garait sa voiture, une antique Volkswagen Coccinelle immatriculée bizarrement dans le Connecticut. Elle n'élevait jamais le ton, qu'elle soit en colère ou bienveillante. Au contraire, elle parlait toujours très bas et je compris, plus tard, que c'était une technique habile pour obtenir l'attention de son interlocuteur.

Ce matin-là, pourtant, ça ne fonctionnait pas avec moi. Je remâchais ma frustration, des images crues venaient s'interposer et, soudain, sans que j'y prenne garde, je commençais à fantasmer autour de la personne de Joséphine Simpson, alors qu'elle continuait à me parler et que je répondais par monosyllabes machinaux.

Oui, cette femme, me disais-je, avait bien dû connaître ce que j'avais connu avec Sam Atkinson, et sans doute bien plus...

Où habitait-elle? C'était un mystère, certains affirmaient l'avoir vue dans Brookside Est à quatre ou cinq blocs de chez mes parents. D'autres, qu'ils avaient aperçu sa voiture sur le parking d'une résidence en vogue, du côté nord de Hancock Park et qui donnait sur le fleuve. Mais, comme sa personne n'inspirait que de l'ennui, nul, finalement, n'allait chercher plus loin.

Sauf moi qui, dans ce bureau, face à elle, me disais qu'il y avait sans doute à creuser. Ce tailleur, ce chignon, ces lèvres minces n'étaient peut-être qu'un déguisement... Quand elle rentrait chez elle, y avait-il quelqu'un pour l'attendre? Je n'arrivais pas à imaginer des enfants ni même un mari. Mais un amant, par exemple, un homme marié qui avait ses clés et qui venait la voir avant de rentrer chez lui, retrouver sa femme et ses mômes? Un professeur du lycée?

Je les passais en revue et aucun ne collait. Non, si amant il y avait, il devait être d'un autre milieu, lui offrir d'autres plaisirs. Sans savoir pourquoi, j'imaginais un de ces policiers que l'on voit patrouiller en ville à bord de ces voitures bleues portant le numéro de leur commissariat et dont les sirènes, quand elles se déclenchent, font partie de la musique de la cité. À la longue, d'ailleurs, ceux qui habitent ici ne sont pas inquiétés par ce bruit. Au contraire, quand on les entend de chez soi, à toute heure du jour et de la nuit, ces sirènes sont comme une note mélancolique et poignante à la symphonie de bruits, à la rumeur permanente que crée la ville.

Un policier, donc, attendait Marge Simpson chez elle. Il n'avait pas eu le temps de se changer en quittant le poste et il était encore en uniforme. À peine était-elle rentrée qu'il se levait et marchait vers elle. Je l'imaginais grand, vieillissant, avec un beau regard fatigué mais, surtout, ce qui me troublait moi-même et me rendait folle de désir, c'était l'uniforme bleu dont se dégageait une odeur mâle, mélange complexe d'eau de toilette et de transpiration. Et ce pantalon très ajusté, presque identique à celui des cavaliers, qui moulait des attributs virils impressionnants. Et ce lourd harnachement de cuir, cette épaisse ceinture comportant l'étui du revolver, celui des cartouches et qui laissait encore dépasser la matraque et les menottes.

Sur son insigne argenté était marqué, au-dessus de «Police Department», «Protéger et Servir». Protéger et servir, voilà qui aurait très bien pu être notre devise, m'avait fait remarquer le Prince, pour les Initiés qui se devaient de protéger le secret de leurs activités et servir leurs maîtres comme ceux-ci le désiraient.

Si, ce jour-là, j'appliquais ce fantasme à Joséphine, c'est que je l'avais déjà éprouvé avec une violence rare. Je n'avais que treize ans et j'étais encore assez ignorante des choses du sexe. Ce devait être en hiver puisqu'il neigeait. On avait cambriolé la minuscule remise au fond de notre jardin de Brookside. En fait, le vol se limitait au barbecue et à quelques outils de jardinage. Mais mes parents avaient décidé qu'il valait mieux alerter la police, ne serait-ce que pour établir un constat permettant de se faire rembourser par les assurances.

Un jeune homme est arrivé dans la maison ce samedi matin. J'ai vu la voiture bleue se garer sous la neige, le gyrophare de la sirène tournait et il y avait ce silence propre aux quartiers résidentiels des mégapoles quand les bruits que l'on devine aux aguets sont momentanément tenus à distance par ce phénomène météo.

Je n'en perdais pas une miette, depuis la fenêtre de ma chambre. La portière s'est ouverte et il est sorti. Aujourd'hui, je le revois encore même si ça date d'il y a un quart de siècle. Il n'avait pas de casquette à cause de la neige, mais ces bonnets bordés de fourrure dont les côtés, une fois dénoués, permettent de couvrir les oreilles, ce qui était le cas. Un tel couvre-chef, qui donne vite des allures ridicules aux hommes, ne le rabaissait en rien. On pouvait même voir ses cheveux très blonds qui encadraient un visage de gravure de mode, viril mais sans excès, aux traits réguliers. Il s'avança prudemment sur le sol verglacé alors que mes parents avaient déjà ouvert la porte.

Ma première émotion, violente, qui traversa mon corps d'adolescente sans que je comprenne au juste pourquoi, fut d'entendre l'écho de ses boots noires faisant craquer le sol neigeux alors qu'il se dirigeait, d'une démarche élastique, vers l'entrée de la maison. À l'écoute de ce son si particulier, le sang me monta au visage et je me sentis troublée à l'extrême. Je sais maintenant que cette impression de puissance, qui se manifestait notamment par cette manière de maîtriser les éléments naturels, était la cause cérébrale de cette émotion et indiquait déjà mes prédispositions à l'Initiation.

Le policier entra et j'entendis, de ma chambre, ma mère lui proposer une tasse de café. J'étais en train de plancher sur un exercice de maths quand j'avais entendu la voiture de police. Je l'abandonnai définitivement et je passai dans la salle de bains vérifier que mes cheveux roux étaient en ordre, qu'on ne voyait pas trop ce sale petit bouton près du lobe de l'oreille. Je souris deux ou trois fois de manière exagérée à mon reflet pour vérifier la blancheur de mes dents tout en retirant mon appareil. Puis je descendis les marches quatre à quatre, la respiration courte que j'essayai de contrôler avant d'entrer de l'air le plus naturel possible dans la cuisine.

Mes parents étaient debout, comme le policier, et tous trois buvaient un café.

— Ah, mais c'est notre grande fille ! s'exclama mon père. Je te présente l'officier Blisko, c'est bien ça, officier ?

— Tout à fait, monsieur. Très heureux de faire votre connaissance, mademoiselle Graham. Je suis désolé, monsieur et madame Graham, mais je vais avoir une journée chargée et ce serait bien si nous pouvions dresser le constat sans plus attendre.

Ils se dirigèrent vers le jardin et je les suivis.

— Tu n'y penses pas, me dit ma mère, tu es déjà rouge comme une pivoine et il fait -15° dehors. Tu attraperais froid.

Ma déception fut grande. J'étais rouge et pour cause : l'apparition de l'officier Blisko, debout dans la cuisine, avait dû déclencher en moi une véritable tempête d'hormones et pas seulement parce que j'avais vu un beau flic. Non, j'avais déjà l'œil fétichiste et c'était autant ce corps d'homme jeune et athlétique qui m'avait émue que les accessoires qui le mettaient en valeur, promettant d'étranges voluptés. Le cuir des boots, le blouson avec son insigne, la crosse de l'arme qui représentait une violence potentielle et fascinante, la paire de menottes qui brillait et même cette cravate noire qui serrait le cou de l'officier Blisko d'un nœud impeccable, petit et compact. Oui, à la vision de ce policier, tout indiquait, pour une jeune fille à la libido aussi étrange que dévastatrice, un mélange de force et de possibilité de souffrir, de plaisir à se soumettre dans une certaine brutalité.

Et voilà que, ce matin-là, dans la chaleur du bureau mal climatisé de Joséphine Marge Simpson, j'imaginais un policier qui l'attendait chez elle, et je lui substituais, au fur et à mesure que mon fantasme grandissait, le visage de l'officier Blisko que je n'avais pourtant vu qu'une fois, quelques années plus tôt.

À peine Mlle Simpson rentrée, le policier l'accueillait sans un mot et ne lui parlait qu'à l'impératif :

— Libère tes cheveux...

La conseillère d'orientation acceptait : les épingles qui maintenaient en place son austère chignon tombaient les unes après les autres sur le parquet dans un bruit cristallin. Le policier découvrait alors dans toute sa splendeur la chevelure de Joséphine, lourdes vagues blanches que venaient relever des mèches noires, transformant le visage sévère et vieillissant de la femme en celui d'une lionne sexy, riche d'expériences extrêmes et de sensualité tourbillonnante.

Puis il ordonnait :

— Déshabille-toi.

Là encore, elle obéissait. D'abord, les chaussures plates et tristes. Puis la jupe du tailleur, tout aussi morne. Les cuisses de la conseillère d'orientation, que l'on aurait imaginées sèches, se révélaient, au contraire, pleines, généreuses. Et ces cuisses n'étaient pas gainées dans des collants mais dans des bas qui se raccrochaient à un porte-jarretelles somptueux, une merveille de dentelle rouge. Indiquant que la conseillère savait ce qu'elle faisait, sa petite culotte, en fait un string La Perla, avait été passée au-dessus, de manière à ce que qu'elle puisse la retirer tout en gardant ses bas et son harnachement.

— La veste, ordonnait ensuite le policier. Le chemisier.

On découvrait alors que Joséphine Simpson était une fausse maigre : elle dévoilait des seins opulents, contenus et opprimés par un soutien-gorge qu'elle ôtait, libérant une poitrine encore jeune, lourde, aux mamelons turgescents et cramoisis. Puis le rituel continuait.

Je ne pouvais plus contrôler ma rêverie et je me disais que la conseillère d'orientation, en face de moi, allait s'apercevoir de la tournure que prenaient mes pensées.

J'imaginais que le policier, qui avait les beaux traits de l'officier Blisko, s'approchait d'elle, désormais nue à l'exception de son porte-jarretelles. Il plongeait une main gantée dans la chevelure abondante et il la tirait assez violemment pour redresser le visage de la femme vers le sien.

Joséphine fermait les yeux, souriait, presque extatique. C'en était fini de la bouche sans lèvres de la conseillère d'orientation. Comme dans un conte fantastique, une vraie métamorphose s'était opérée et apparaissaient maintenant des lèvres sensuelles, à la pulpe brillante de salive, qui semblaient esquisser une prière muette pour que cela ne s'arrête pas. L'officier de police Blisko sortait alors son arme et envoyait Mlle Simpson s'allonger, sur le ventre, sur un long divan…

J'essayais de contrôler mes visions, de revenir à la vraie Joséphine Simpson qui se préoccupait de mon avenir de l'autre côté du bureau, mais c'était de plus en plus difficile et je me sentais déjà toute mouillée en contemplant la scène que mon imagination surchauffée produisait.

Je voyais Joséphine, je sentais Joséphine, allongée sur le divan, son visage enfoui dans l'accoudoir. Soudain, elle sursautait. Le canon de l'arme de service de l'officier de police s'était posé à la base de son cou et descendait, avec une lenteur exquise, le long de sa colonne vertébrale.

Cela suffisait à faire monter le plaisir de manière presque instantanée dans le corps de Joséphine, des plus lointaines et plus obscures régions du désir. L'idée de ce canon qui se réchauffait progressivement au contact de sa peau, qui l'agaçait délicieusement tout en pouvant cracher la mort à n'importe quel moment…

Maintenant, l'arme arrivait au niveau des fesses et l'officier Blisko lui faisait suivre le sillon qui séparait les deux globes laiteux dont, là encore, la générosité était insoupçonnable quand on voyait Mlle Simpson habillée.

Oh, oui! Comme la lycéenne que j'étais aurait aimé sentir cette arme se diriger vers son intimité, ses régions les plus secrètes, et éprouver la douceur et le mystère délicatement humides des muqueuses rencontrant l'acier bleu d'un canon de revolver qui pouvait à tout instant pénétrer et profaner mais restait à la surface et provoquait, déjà, un orgasme brutal où se mêlaient la peur, la honte et le bonheur.

Je voyais ensuite l'officier de police Blisko se débarrasser de son lourd ceinturon et de sa mince cravate. Il passait devant Joséphine, toujours allongée, qui relevait le visage :

— Tends tes mains.

Elle obéissait et il serrait fort, ce qui provoquait chez elle un gémissement rauque, accentué par la tonalité habituelle de sa voix d'ancienne fumeuse ou de chanteuse de jazz. Elle voyait alors, à la hauteur de son regard, l'anatomie de Blisko moulée par le pantalon, elle voyait qu'il bandait.

— Laisse-moi libérer ton sexe, je t'en prie.

— Pas encore mais, si tu veux, tu peux rendre hommage à ça…

Il tendait le pistolet devant son visage.

— Suce-le.

Elle s'exécutait comme si l'arme avait été une queue d'acier. Elle commençait par promener sa langue autour de l'orifice du canon, pour exciter de son extrémité rose et habile la mort qui pouvait en jaillir à n'importe quel moment. Puis elle léchait le canon de l'arme de chaque côté, alternativement à gauche et à droite, en s'appliquant comme avec un véritable sexe. Sans marquer la moindre hésitation, elle engouffrait ensuite l'arme dans sa bouche tandis que l'officier de police Blisko, en expert, faisait aller et venir l'arme comme il aurait joué de son sexe, mais avec précaution, afin de ne pas heurter les dents.

Enfin, il rengainait l'arme et, de son ceinturon, il commençait à fouetter le dos et les fesses de Joséphine, sans la moindre retenue, la faisant hurler de plaisir au fur et à mesure que les lacérations apparaissaient sur la peau blanche, que les marques anciennes faisaient remonter à leur surface le rouge du sang qui affleurait, indiquant une longue habitude de cette pratique.

— Mademoiselle Graham ? Mademoiselle Graham !

L'interpellation de Joséphine Simpson, qui ne laissait passer aucune émotion particulière mais n'en montrait pas moins une grande fermeté, me fit sursauter.

— Mademoiselle Graham, vous êtes certaine que ça va ?

— Pourquoi, mademoiselle Simpson ?

— J'ai l'impression que vous ne m'écoutez plus du tout. Vous avez trop chaud ? Vous voulez vous servir un gobelet d'eau fraîche à la fontaine ?

— Non, pourquoi ?

— Je vous assure, mademoiselle Graham, que vous êtes toute rouge et que vous transpirez beaucoup ! Vous n'êtes pas avec moi alors que je vous parle de votre prochaine année scolaire. Allez vous servir un verre d'eau. Nous allons reprendre.

J'obéis et me dirigeai vers la fontaine. Je plaçai un petit gobelet blanc sous le verseur. L'eau n'était pas assez fraîche à mon goût mais elle me fit du bien. Je renouvelai l'opération trois fois. C'est vrai que j'avais une soif du diable. Il me fallait éteindre au plus vite cet incendie sexuel mal allumé hier après-midi par Sam Atkinson, incendie qui était reparti ce matin face à Mlle Simpson, alimenté par cette usine à fantasmes qui semblait logée dans mon cerveau, mon ventre, mon sexe.

«Vous n'êtes pas avec moi», elle ne croyait pas si bien dire, Marge, que j'avais laissée les mains attachées sur un divan, présentant sa croupe aux coups de ceinturon d'un policier qui l'avait au préalable forcée à administrer une fellation à son arme de service. Elle aurait été la première étonnée de sa situation telle que la concevait une sage lycéenne rousse.

Je revins m'asseoir devant elle. Mon cinéma intérieur reprit de plus belle. Le seul moyen de l'arrêter aurait été d'aller me branler, mais c'était impossible. Même si je demandais l'autorisation d'aller aux toilettes, outre que cela agacerait Joséphine Simpson qui s'était déjà interrompue une fois, la séance de masturbation que j'avais envie de m'infliger risquait d'être longue, non pas parce que je serais longue à parvenir à l'orgasme mais parce qu'il m'en faudrait plusieurs pour épuiser ma jouissance. Et qu'il me serait difficile, aussi, de n'être pas bruyante.

Cette solution étant impossible, je décidai, sous ma longue jupe blanche en dentelle de romantique, de serrer mes jambes assez haut et assez fort, de manière à ce que les lèvres et les parois de mon sexe soient en contact, ce qui me permit de me rendre compte à quel point j'étais trempée.

J'avais presque l'impression que l'odeur de noix de pécan de ma cyprine allait envahir la pièce et que la climatisation ne pourrait rien contre cette preuve olfactive et intime de mes errements fantasmatiques. Cela ne m'empêcha pas de frotter insensiblement, dans cette position, mes cuisses l'une contre l'autre et d'éprouver la même sensation, en plus agaçante, que lorsque je me touchais.

J'allais découvrir, notamment à la fac en en parlant avec Cynthia, que nous étions un certain nombre de filles à nous être fait jouir de la sorte, sous le regard des autres sans qu'ils s'en rendent compte.

Cynthia et moi fûmes les premières étonnées qu'il n'y ait pas d'enseignant assez observateur pour s'apercevoir, de temps à autre, qu'une jeune fille se raidissait brièvement en se pinçant les lèvres ou laissait filtrer un gémissement bref qu'elle masquait en éclat de rire ou encore changeait de couleur. Cynthia disait même, pour plaisanter, qu'un prof de terminale ayant inventé une machine pour récupérer l'énergie orgasmique qu'il générait ainsi aurait pu éclairer sa maison pendant dix ans.

Mais qu'en savions-nous? Il y avait peut-être des profs pour se rendre compte de cette façon secrète de se masturber en public? Certains d'entre eux repéraient sans doute ces jouisseuses discrètes et appréciaient en connaisseurs, derrière leur bureau, l'air soudain absent de celle-là, le sang montant brutalement au front de celle-ci, le tortillement du bassin de telle autre sur sa chaise comme si elle cherchait à se débarrasser d'une démangeaison sans vouloir se gratter.

Maintenant que je sais que l'on trouve des Initiés dans tous les milieux, y compris chez les enseignants, comment ne pas imaginer que certains prennent eux-mêmes un plaisir d'esthète à observer ces floraisons spontanées et aléatoires de la jouissance dans leur classe. Ils doivent alors envisager chaque chevelure de fille comme une fleur pouvant s'épanouir brièvement et intensément sous le vent d'un orgasme occulte. Peut-être y a-t-il même déjà des contrats avec certaines ? Des contrats entre maître et apprentie qui prescrivent à la jeune fille qu'elle devra se faire jouir sans que personne la voie à la vingt-septième minute du cours sur la situation des États-Unis d'Amérique à la veille de la Première Guerre mondiale.

En attendant, face à Mlle Simpson, mon petit cinéma érotique redémarrait de plus belle et mon cerveau, tel un projectionniste attentif, reprenait les aventures érotiques de l'officier de police Blisko et de la conseillère d'orientation là où je les avais abandonnées avant d'étancher ma soif.

Je voyais ainsi Blisko, après sa séance de flagellation, redresser Marge. Il lui libérait les mains en dénouant la cravate, mais c'était pour mieux l'entraver, avec sa paire de menottes, à une antique grille d'aération, très haute dans le mur, ce qui forçait Joséphine à une position inconfortable, le corps étiré, les pieds ne reposant sur le sol parqueté que par la pointe.

Blisko pouvait ainsi à loisir contempler cette anatomie torturée, ces muscles allongés à la limite de la crampe, ces bras qui semblaient se démettre des épaules, ces seins relevés, ce visage où la douleur se confondait avec l'extase.

— Prends-moi, je t'en supplie…, implorait Mlle Simpson.

L'officier de police Blisko, avec un grand raffinement, récupérait sa matraque sur la table basse, entre deux revues professionnelles et un roman à l'eau de rose de Barbara Cartland. Avec le lourd objet noir, il auscultait les tendons étirés de Mlle Simpson, au niveau de l'aine, et elle frissonnait délicieusement en sentant le contact étrange du matériau polymère l'effleurer et rôder autour de sa toison noire, taillée dans un impeccable triangle. Il remontait sur l'abdomen creusé par la tension, souriait en faisant jouer la matraque avec un piercing au nombril, surprenant chez cette femme dont l'allure extérieure était si sérieuse. Il s'attardait sur la cage thoracique, caressant chaque côte saillante, puis les clavicules, comme si sa matraque était un pinceau qui redessinait les ombres et les creux du corps écartelé de sa proie.

Elle l'implorait de nouveau :

— Prends-moi, s'il te plaît, prends-moi...

L'officier de police Blisko se décidait enfin à la satisfaire et, à ce moment, ce n'était plus Mlle Simpson que je voyais attachée par des menottes, étirée à la limite du supportable, mais moi !

Mon corps n'était que tension, je sentais les muscles étirés à se rompre, la douleur dans les cuisses, les bras, les deltoïdes et aussi le dos et les fesses, qui cuisaient, conséquence de la flagellation sans pitié à laquelle s'était livré l'officier Blisko. Je ressentais aussi cet incroyable désir dans le bas-ventre, cet appel désespéré qu'un sexe d'homme vienne combler ce vide bouillant et humide qui était le mien.

Blisko, alors, baissait son pantalon et apparaissait dans un jock-strap qui, n'enveloppant que son sexe, cachait à peine l'énormité de celui-ci, mais dévoilait ses cuisses musclées et ses fesses impeccables qu'on aurait dit rasées.

Oui, c'était moi, lycéenne avide de sexe et encore, sans le savoir vraiment, de domination, que l'officier de police Blisko soulevait de ses bras puissants, ce qui soulageait soudain la douleur ambiguë de l'étirement. Il assurait sa prise en mettant le plat de ses mains sur mes fesses martyrisées par la ceinture tandis que mes jambes s'écartaient de part et d'autre de son torse et venaient reposer chacune à la saignée de ses bras incroyablement musclés.

Une fois retiré son jock-strap, je voyais apparaître une queue formidable, monstrueuse, avec de grosses veines qui la transformaient en une manière d'animal vivant. Elle renvoyait celle du pauvre Sam Atkinson à des années-lumière, elle était le sexe formidable dont pouvait rêver la vierge que j'étais, l'immense poignard tumescent qui entrerait en elle, forcerait le passage avant d'aller et venir dans une insoutenable et voluptueuse violence.

Elle s'approche, s'approche, s'approche. Elle va me…

— Mademoiselle Graham ? Mademoiselle Graham ?

La conseillère d'orientation, de nouveau, s'impose à mon regard. Nous ne sommes plus dans son appartement tel que je l'ai imaginé et où j'ai fantasmé les exploits d'un officier de police particulièrement bien membré.

— Décidément, mademoiselle Graham, vous ne m'avez pas l'air concentrée ce matin. Enfin, c'est votre avenir qui se décide. Notre rendez-vous se termine. Avez-vous des questions ?

J'ai failli lui répondre :

— Vous aimez vous faire fouetter ?

Je sentais mon sexe ruisseler et j'espérais que rien ne se verrait sur ma robe en lin. Je baissai les yeux, ce que Mlle Simpson dut prendre pour un accès de modestie. Je vérifiais surtout d'éventuels dégâts. Non, rien, heureusement… Je me félicitai d'avoir choisi une de ces solides petites culottes volontairement austères et guère sexy, qui ressemblent à des boxers : elle avait fait barrage.

Je me levai, serrai la main de Joséphine Simpson qui me regarda avec son air impénétrable, ni bienveillant ni hostile, et je me demandai, en sortant de son bureau, si une part de ce que j'avais imaginé n'était finalement pas si improbable.

Une personnalité si verrouillée devait forcément avoir des secrets.

6

Ce fut donc en sortant du bureau de la conseillère que je tombai sur ce grand ballot de William Blake, receveur vedette de l'équipe du lycée.

Quand je dis «tombais», ce n'est pas une image. Je sortais du bureau, cramoisie, en sueur, avec comme seule idée de trouver les toilettes et de finir avec les doigts ce que j'avais si bien commencé par le frottement de mes cuisses l'une contre l'autre.

Je ne vis pas les deux mètres blonds de William Blake, ni ses cent dix ou cent vingt kilos, qui me heurtèrent et m'envoyèrent au sol avec brutalité, me faisant glisser sur le revêtement lisse du sol.

— Aïe, mais quelle brute!

Mon sac se répandit sur le sol alors que je me retrouvais à terre, allongée de tout mon long, les quatre fers en l'air. Étrangement, je me souviens de tout ce qu'il y avait à l'intérieur de ce sac typique de la romantique, à mille lieues de mes délicieux Miu Miu d'aujourd'hui. En fait, c'était une grande poche bleue avec des anses en bambou et de larges fleurs blanches au crochet en guise de décoration.

J'ai vu s'éparpiller autour de moi, avec un mélange de honte et de fureur, les billes d'un collier de bois que j'avais l'intention de réparer un de ces jours, une bouteille à moitié vide d'eau minérale, deux boîtes de pilules vitaminées, qui s'ouvrirent, un tube de crème hydratante, une autre pour l'acné, un bloc et le stylo Parker que m'avait offert mon père pour mon dernier anniversaire, une paire de lunettes de soleil bon marché, un tube de gloss, le billet du concert de Duran Duran auquel j'avais assisté au Radio City Music Hall la semaine précédente, une boîte de tampons hygiéniques, des mouchoirs en papier et deux ou trois chouchous. Sans compter les feuilles de mon bilan scolaire remis par Mlle Simpson, qui volèrent sur plusieurs mètres.

Le contenu de ce sac répandu sur le sol indiquait pour un œil averti où j'en étais : l'absence de préservatifs ou de pilules contraceptives montrait assez que je n'avais pas, malgré mes fantasmes débridés, encore franchi le pas décisif de la perte de ma virginité.

Je ne sais pas si ce grand maladroit de William Blake eut un œil avisé mais, en tout cas, il n'a pas ri bêtement devant ce spectacle comme l'auraient normalement fait la plupart des grands niais du lycée, qui passaient leur vie à faire du sport. William Blake avait franchement l'air désolé et même catastrophé. Sans doute parce qu'il n'était pas en bande.

Les mâles américains sont en règle générale totalement stupides en bande, quel que soit leur milieu, mais surtout au sortir de l'adolescence. On a d'ailleurs souvent l'impression que, chez eux, sortir de l'adolescence dure toute la vie. Les femmes mariées que je connais, et qui ne savent évidemment pas que je suis une Initiée, ont à ce sujet des confidences qui ne trompent pas.

Leur mari n'a que l'illusion de les dominer, qu'il ramène plus d'argent à la maison ou qu'il sache déboucher un évier, soit encore qu'il se persuade de les amener à l'extase chaque fois qu'ils font l'amour. S'ils savaient, les pauvres, ce que disent d'eux les femmes quand ils vont boire des bières dans les bars de Down-town ou partent le week-end pêcher dans le Michigan. Ils ne dominent pas, ne décident de rien. Il suffit de savoir les prendre et ils redeviennent de petits garçons désarmés face à cette créature mystérieuse qu'on appelle la femme.

Finalement, je n'aurais connu que le Prince qui n'ait pas cette angoisse face à ce continent obscur, si mal exploré, qu'est la jouissance féminine dans sa mystérieuse profondeur, ses détours inavouables, son mélange de férocité et de candeur. Le Prince qui sait, lui, vraiment dominer.

Alors que William Blake m'aidait à me redresser, je me fis la remarque que c'était la première fois que je ne le voyais pas en tenue de sport. Nous, les romantiques, nous n'entretenions de toute manière que des rapports lointains avec les sportifs du lycée qui nous le rendaient bien et préféraient les pétasses, qu'ils trouvaient plus faciles pour avoir des relations sexuelles sans compli-cation et moins intimidantes.

À mon avis, ils se trompaient. Les pétasses étaient surtout des allumeuses qui se contentaient, comme nous, de soulager leur athlète d'un soir avec la main ou la bouche. Il y avait bien sûr quelques relations durables, quelques couples qui se formaient et qui étaient les idoles du moment. Ils étaient «les heureux de ce monde» et étaient tellement «populaires» que tous auraient vendu leur âme pour être leurs amis, comme si, en traînant dans leur sillage, un peu de la splendeur de ces «demi-dieux» allait retomber sur eux.

Pour l'instant, d'une poigne ferme et virile, avec le visage poupin et désolé d'un môme qui vient de com-mettre une bêtise, William Blake m'aidait à me relever. Pendant que je me rajustais tout en frottant mon épaule qu'il avait heurtée avec sa brutalité de mastodonte, je le regardais ramasser mes affaires dans le couloir désert.

Il n'était pas mal, finalement, habillé en civil, si je puis dire. Sa grande taille ne lui donnait pas cet air gauche, et même un peu simiesque, qu'ont souvent les garçons ou les jeunes hommes qui dépassent deux mètres. Il se déplaçait avec souplesse, ce qui était normal pour un sportif, mais aussi avec une sorte de grâce, ce qui était plus surprenant. Il avait une belle et longue chevelure dorée de Viking. Il était vêtu d'un jean 501 délavé, effrangé et coupé aux genoux, qui moulait un cul musclé m'apparaissant sous des angles variés tandis qu'il ramassait mes affaires. Il se penchait ou s'accroupissait et revenait régulièrement vers moi pour remplir mon sac, l'air gêné, me demandant chaque fois :

— Tu es sûre que ça va ? Tu n'as mal nulle part ? Rien de cassé ? De froissé ?

Je ne répondais pas, gardant une mine pincée pour mieux me protéger du trouble qui montait. J'étais encore humide de ma séance fantasmatique chez Mlle Simpson et voilà que je recommençais à mouiller. Était-ce la chaleur ou bien devenais-je une femme fontaine ?

Je regardais toujours le beau cul de William Blake et je goûtais les moments où le T-shirt blanc ressortait du jean, dévoilant le haut de ses fesses, la naissance d'une raie sombre et le début du dos, passage velouté qui attirait presque magnétiquement la caresse.

— Voilà, je crois que tout est là, me dit-il. Je t'offre un Coca ?

Je répondis trop vite à mon goût :

— OK, pourquoi pas ?

C'est vrai qu'avec ses mèches dorées, son torse en V, ses pectoraux qui gonflaient son T-shirt blanc et même ses tétons qui pointaient comme ceux d'un petit garçon ému, il était puissamment craquant, une belle mécanique, une bête fauve dont je rêvais, en cet instant précis, qu'elle me dévore toute crue et que je puisse serrer ce visage avec sa douce barbe de trois jours entre mes cuisses tendres et brûlantes.

On s'est dirigé vers sa Honda Civic grise garée sur le parking du lycée, pas loin de la Coccinelle de la conseillère d'orientation, et j'ai eu une espèce de flash. Je l'ai revue dans ma rêverie fantasmatique, fouettée par l'officier Blisko, et j'ai senti que mon excitation montait alors que William s'efforçait d'animer la conversation.

La Honda Civic était un modèle des années 1980, avec des autocollants de New Order sur le pare-brise arrière. Comme il a vu que je les regardais, il m'a demandé :

— Tu aimes New Order ? C'est un peu *eighties*, non ? Mais la voiture était à mon frère. Il est infirmier dans le New Jersey.

Je ne savais pas trop si je devais m'extasier sur le métier de son frère ou si je devais donner mon avis sur New Order. Au-delà de l'excitation qui montait, j'ai surtout vu avec plaisir que deux pétasses, qui glandaient sur le parking en mâchant du chewing-gum et en fumant des cigarettes – comme quoi elles étaient capables de faire deux choses à la fois –, me regardaient avec surprise et envie. Moi, la romantique, l'intello du cercle des poètes disparus.

Nous sommes montés dans l'habitacle surchauffé. Il y avait des cartons de pizzas par terre et un sac de sport sur le siège arrière, d'où ressortaient un short chiffonné et un gant de base-ball. J'essayai de ne pas m'attarder sur ce short qu'avait porté le bel animal assis à côté de moi et qui devait sentir le jeune homme en rut.

William s'excusait d'ailleurs pour le désordre avec un sourire un peu niais, qui révélait toutefois de fantastiques dents blanches mises en valeur par l'écrin de lèvres épaisses, conférant à son visage de mannequin une étrange féminité. Je me demandai, un instant, s'il n'était pas gay. Ça commençait à devenir sérieusement à la mode. Blake avait la réputation de tomber toutes les filles qu'il voulait et avait brisé quelques cœurs bien que, depuis plusieurs mois, d'après la rumeur, il soit fidèle à une certaine Mona Watson, une grande bringue quasi anorexique de terminale que je n'avais toujours vue que de loin.

— Tu passes en terminale? me demanda-t-il alors qu'il prenait la voie rapide vers le pont qui nous ferait quitter Brookside Est et prendre la direction d'Isola

— Oui, et toi, tu vas dans cette fac de l'Indiana?

Il eut l'air touché que je sois au courant. Ce qu'il ne savait pas, c'est que je gardais la mémoire de tout ce qui se disait sur tout le monde, même les gens qui m'étaient indifférents, ce qui était le cas de William Blake avant qu'il me fasse valdinguer alors que je cherchais les toilettes pour soulager mon sexe gonflé de plaisir. J'avais déjà dans l'idée de faire de la politique, et la première qualité, comme le disait mon père qui n'était pas dupe quand il regardait les campagnes électorales, était : «Tous ces types sont capables de se souvenir à six mois d'intervalle que cette bonne femme dans la rue la plus paumée de leur circonscription a trois mômes, dont le cadet suit un traitement pour l'asthme. On ne peut pas leur retirer ça, ce sont de vrais ordinateurs sur pattes.»

— C'est sympa de t'en rappeler. C'est pour ça que j'étais là ce matin. C'est bon, figure-toi! Ils m'ont accepté malgré mes C dans les matières principales. Je ne suis pas une tête, comme toi!

Il avait dit ça sans ironie, presque avec candeur. Il allait réellement finir par devenir touchant. Comment aurait-il réagi, ce benêt, si je lui avais demandé de me baiser, là, tout de suite, sur la bande d'arrêt d'urgence ? Si je lui avais dit : « Bill, je t'en supplie, fourre-moi, bouffe-moi la chatte, fais ce que tu veux mais là je n'en peux plus, je vais exploser… » ?

Au lieu de quoi, je me suis contentée de le titiller.

— Dis donc, on va à Isola pour prendre un Coca ? Tu as vraiment si peur que ça que Mona Watson sache que tu as emmené une fille de première dans ta voiture ? C'est fichu, si tu veux mon avis : il y avait deux filles de terminale sur le parking.

Il s'est assombri mais il paraissait plus malheureux que gêné ou en colère. Son front se plissait et ses yeux, incapables de dissimulation, montraient un gros désarroi, sans compter sa bouche qui, soudain, eut une moue presque puérile, comme s'il allait pleurer.

— Ça ne va pas fort avec Watson, tu sais.

Il roulait nerveusement, doublant des poids lourds au dernier moment et, parfois, klaxonnait un peu trop. On était sur le pont Roosevelt, la *skyline* d'Isola se rapprochait et le fleuve s'élargissait en un estuaire somptueux et lumineux qui semblait vouloir fusionner à la fois avec l'océan et avec le ciel bleu profond de ce début d'été. Mais si Blake continuait à conduire sa Honda Civic de cette manière, on risquait de finir par entendre une sirène de police et voir apparaître dans le rétro une voiture bleue qui allait nous obliger à nous ranger sur le bas-côté. Qui sait, peut-être y aurait-il à bord l'officier Blisko avec son odeur de cuir, son aura de virilité sauvage ? Et il serait très sévère avec nous…

Voilà que cela me reprenait.

J'étais décidément, ce jour-là, plus chaude qu'une baraque de hot dogs. Je l'imaginais botté, s'avancer lentement vers la voiture avec ses lunettes de soleil réfléchissantes et nous faire subir, à William et à moi, les pires sévices – comme j'avais imaginé qu'il les avait fait subir à Marge Simpson.

Oui, il aurait d'abord obligé William à lui administrer une fellation par la fenêtre du conducteur et je me sentais folle à l'idée de voir ce visage si candide, si sain, si inconsciemment arrogant de sportif bien dans sa peau, la bouche soudain déformée par la queue démesurée du policier accélérant son va-et-vient jusqu'à une abondante jouissance qui aurait aveuglé le pauvre William, le foutre se perdant dans les poils soyeux de sa barbe si soigneusement négligée.

Et puis cela aurait été mon tour, toujours sous l'œil des automobilistes éberlués. L'officier Blisko m'aurait demandé de sortir de la Honda, m'aurait forcée à poser mes mains sur le capot, aurait commencé une fouille méthodique, d'abord une palpation poussée de tout mon corps pour aller se promener vers mon entrejambe et en profiter pour, sans même retirer ma culotte, exercer une pression sur mon sexe à travers le tissu avec ses doigts épais et gantés, ce qui m'aurait permis de jouir une première fois.

Ensuite, alors que les paumes de mes mains sur le capot brûlant de la Civic m'auraient fait délicieusement mal, que j'aurais eu les jambes largement écartées, il aurait remonté ma jupe en lin très haut, il aurait bandé de nouveau comme un cerf et m'aurait fourrée, là, sur le pont, et je n'aurais senti que son souffle sur ma nuque tandis que les centaines de voitures qui klaxonnaient auraient couvert mes cris de honte et de volupté.

— Tu as l'air ailleurs, m'a dit William.

Je me suis tournée vers lui, confuse, presque surprise de ne pas voir son visage couvert de sperme. J'ai décidé de me calmer et de m'intéresser aux déboires sentimentaux de celui qui était pourtant l'idole du lycée.

— Mais non, William, je t'assure. Je t'écoute. Que t'arrive-t-il donc avec cette charmante Mona Watson?

— Tu ne l'aimes pas beaucoup…

Il n'était peut-être pas totalement idiot, finalement, puisqu'il semblait avoir saisi l'ironie de ma phrase.

— Comment veux-tu que j'apprécie cette conne de terminale qui ne cesse de parader et de mépriser toutes les filles qui ne passent pas au moins une heure à se pomponner le matin et l'essentiel de leurs loisirs à faire du shopping dans tout ce que Brookside compte comme centres commerciaux et autres galeries marchandes, évitant soigneusement les librairies parce qu'elle est persuadée que les livres lui fileraient des migraines pires que celles de son syndrome prémenstruel!

Ma saillie contre cette fille devenait un peu compliquée pour William, qui me regarda avec des yeux ronds.

— Je ne comprends rien à ce que tu dis, tu sais. Voilà pourquoi on est toujours un peu brutal avec vous, les intellos. On a vraiment l'impression que vous êtes des Martiennes et, dès qu'on parle avec vous, on se retrouve paumé.

Cet aveu fut lâché sans méchanceté, presque avec une certaine tristesse.

— Ne fais pas la tête… Parle-moi de tes déboires avec Mona Watson

— De mes quoi?

— De tes déboires, tes ennuis, si tu préfères…

— Ah oui, OK. Eh bien, figure-toi que je crois qu'elle n'est pas très amoureuse de moi. En fait, j'ai l'impression que je lui ai surtout servi, comment dire, de…

Comme j'étais en veine de charité, je l'ai aidé :

— De faire-valoir ?

— Voilà, c'est le mot que je cherchais… Merci.

Je doutais qu'il ait jamais connu le mot de «faire-valoir», pas plus que celui de «déboires», mais je fis comme si de rien n'était et je le laissai continuer.

— Mona m'a promené comme un petit chien toute l'année. Je croyais que c'était moi qui contrôlais tout, tu parles… Quand elle assistait aux matchs de l'équipe, c'était surtout pour pouvoir se précipiter dans mes bras après chaque victoire et retrouver sa photo dans le journal du lycée ou le *Clarion* de Brookside, histoire d'épaissir son press-book pour aller démarcher les agences de Tribeca. Tu ne savais pas qu'elle voulait être mannequin ? Ah bon… Et moi la vedette, le champion, comme tu dis, j'étais son faire-valoir. Tu verrais certaines photos où elle joue avec mon gant de base-ball ou ma batte. Complètement porno, parfois !

Même à l'époque, je savais. Si je n'avais pas vu les photos avec le gant et la batte, j'avais vu celles qui s'étalaient en une de la presse locale. Mona Watson, avec son visage trop parfait au nez retroussé, ressemblait à une de ces lolitas préfabriquées qui jouent dans les séries de films pour ados comme *Sex Crimes*. On les confondait toutes, elles utilisaient déjà du botox pour leurs lèvres qui finissaient par s'apparenter à des morceaux de pneu rosâtres. En plus, je savais déjà que ces fameuses agences de Tribeca, avec leurs bureaux coincés dans des entresols, sous des boutiques de stylistes hyperbranchés, servaient aussi, à l'occasion, à réaliser des photos de charme – voire un peu plus *hard*. Je l'aurais bien dit à William mais ce garçon avait l'air assez malheureux comme ça.

La circulation était immobilisée, la chaleur montait dans l'habitacle dont la climatisation se montrait défaillante. Je devais, en bonne rouquine, rougir de plus en plus. William tenta d'ouvrir une fenêtre mais l'odeur de monoxyde de carbone ainsi que le bruit des moteurs, des klaxons, les cris de certains chauffeurs sortis de leur véhicule pour protester, sans omettre la sirène d'une ambulance également bloquée, rendaient toute conversation impossible sans pour autant rafraîchir l'atmosphère. Il la referma donc et eut une mimique désolée.

— On n'a qu'à sortir à Chinatown. Il est déjà tard. On pourrait aller chercher des nouilles chinoises et des rouleaux de printemps dans une boutique de Canal Street et pique-niquer dans Colombus Park, ai-je proposé.

— Bonne idée. Dès qu'on avance un peu, je sors de là…

Je regardais son profil. Un peu de transpiration perlait à ses tempes. Il alluma la radio sur une fréquence dédiée à la musique des années 1970. C'était «Tell me this is a Dream» des Delfonics qui passait. J'aimais beaucoup – évidemment grâce à mes parents.

— Tu écoutes ça, toi?

Il eut l'air désolé, comme pris en faute et reconnu coupable d'un crime rédhibitoire et inexpiable pour les garçons de son genre: la ringardise. La ringardise, c'était la nostalgie et la nostalgie, c'était plus ou moins un truc de gay ou d'intellos, du type Sam Atkinson.

— Euh, non, j'ai mis cette station au hasard… Je suis désolé.

Voilà, on était au cœur du malentendu: il s'excusait alors que je trouvais cela charmant. La Honda Civic avança de quelques mètres.

— Tu vois, Mona me reprochait sans arrêt cette vieille bagnole. Il fallait toujours prendre le taxi quand on allait à un concert ou à une soirée, même quand on passait dans l'État voisin, de l'autre côté de la rivière. Et bien sûr, c'est moi qui payais alors que son père est un des publicitaires stars de Brookside. Sans compter l'argent qu'elle gagne avec le mannequinat...

J'imaginais les prestations qu'on lui demandait. Comme s'il avait lu dans mes pensées, William continua :

— En mai, tu sais, le soir du Memorial Day, je suis tombé sur son press-book. Enfin, pas celui qu'elle me montrait d'habitude mais un autre. J'attendais dans sa chambre qu'elle finisse de se préparer dans la salle de bains et c'était interminable. Elle repassait régulièrement devant moi dans des tenues toutes plus allumeuses les unes que les autres. À vrai dire, ça ne me déplaisait pas mais quand même, c'était long et je commençais à être un peu excité par ses sous-vêtements qu'elle retirait sans cesse devant moi parce qu'il n'était pas question de mettre un string violet sous une minirobe blanche. Alors, moi, je poireautais au milieu de ses culottes, ses robes, ses soutifs et je commençais à...

— À bander ?

Il sursauta. Il ne s'attendait pas à un tel langage de ma part, fidèle du club de Sam Atkinson. Il déglutit, rougit lui aussi, mais ce n'était pas à cause de la chaleur de l'habitacle.

— Euh, oui... Alors, pour essayer de me changer les idées, j'ai machinalement regardé un rayonnage où Mona rangeait les dossiers de ses cours et ses albums photo. C'est comme ça que je suis tombé sur un press-book d'un genre particulier...

— C'est-à-dire ?

William avait l'air affreusement gêné. Il déglutit de nouveau à plusieurs reprises. Sur l'autoradio, Mink Deville et son «Return to Magenta» avait pris le relais des Delfonics.

— Eh bien, disons que je l'avais sérieusement inspirée, en fait. Enfin, je veux dire, le base-ball l'avait inspirée. Parce que moi, je ne savais plus trop. Il y avait une vingtaine de photos sur lesquelles elle faisait un usage très particulier du gant, de la batte, des genouillères et du casque. Il y en avait notamment une où...

— Où quoi, William?

— Où elle portait le casque et faisait semblant de lécher la batte comme un sexe et...

— Et?

— Et elle écartait les lèvres de sa chatte avec le gant.

— Waouh...

— Comme tu dis... C'était étrange, comme si une espèce de géant, de mutant ou un truc de ce genre essayait de la pénétrer, tu vois...

— Je vois. Et ça t'a excité?

William rougit encore davantage, si c'était possible. Il décida de rouvrir la vitre de son côté et il dut forcer la voix, à cause du bruit, pour dire sans me regarder:

— Oui, beaucoup.

— Tu t'es masturbé?

— Oh, dis donc...

— Allez, tu peux bien me le dire...

— Oui, je me suis branlé, je ne pouvais plus tenir. Ces petites culottes autour de moi, cette photo, la présence de Mona dans la salle de bains. Alors, j'ai saisi un des strings et je me suis...

— Astiqué la batte?

Sa bouche a formé un O, comme s'il était franchement scandalisé avant d'éclater de rire.

— Oui, c'est exactement ça.

— Et tu as joui…

— Oui, mais ça a tourné à la catastrophe. Mona est ressortie de la salle de bains, précisément au moment où je commençais d'éjaculer dans son string. Elle a crié comme si je l'égorgeais en me traitant de tous les noms mais je ne pouvais plus rien retenir. Il y a eu de longs jets qui ont inondé ses dessous mais aussi ce press-book porno qu'elle cachait. Je ne sais pas si elle était plus en colère que j'aie taché son string en soie sauvage, maculé le press-book ou encore fouillé dans ses affaires, mais j'en ai pris pour mon grade.

— J'aurais plutôt trouvé ça drôle, moi. Et attendrissant, même. Et excitant aussi.

— Tu parles, Mona, elle…

— Elle quoi?

— Comment dire, elle, enfin… Si tu veux, c'est une grande diseuse et une petite faiseuse. En tout cas, avec moi. Les photos, elles m'ont excité parce que ça ne correspondait pas vraiment à ce qu'elle était avec moi dans l'intimité…

— Tu veux dire que vous n'avez jamais… jamais couché ensemble?

De son regard, il fixa la plaque d'immatriculation de la voiture devant nous, un SUV Subaru noir aux vitres fumées, comme pour éviter de répondre à ma question. Finalement, il laissa filtrer entre ses dents une réponse à peine audible:

— Non, même pas.

— Mais vous avez flirté, quand même?

— Oh oui, ça, pas de problème, on a flirté. Mais comme dans les années 1950. On se serait cru dans *American Graffiti*. Tu sais, ce film de Coppola…

Je fus surprise par sa culture cinématographique. Je l'imaginais plutôt se référer à *Terminator* ou à d'autres films de Schwarzenegger. Comme quoi, les idées reçues... Ce William Blake commençait à me plaire de plus en plus, ou au moins à m'intriguer, ce qui revient un peu au même.

— Tu veux dire que vous n'êtes pas allé au-delà du touche-pipi ?

— À peine. Des baisers, des caresses sur les seins...

— Et de ton côté ? Qu'est-ce qu'elle t'a fait ? Rien ou presque...

— Tu es bien curieuse.

— C'est que tu es la star du lycée, l'idole des lycéennes !

— C'est ça, moque-toi...

— Allez, William, confie-toi. Nous sommes amis, désormais. Tu m'as bousculée et renversée, je dois avoir un bleu énorme sur l'épaule, tu m'as invitée à prendre un Coca et nous voilà coincés depuis une bonne demi-heure dans un embouteillage...

— Eh bien, on ne peut pas dire que Mona Watson se soit montrée folle de ma bite.

— C'est-à-dire ?

— Une branlette par-ci par-là. Et encore, on aurait dit qu'elle touchait un truc qui allait la mordre.

— Elle ne t'a jamais sucé depuis tout le temps que vous êtes ensemble ?

— Nous ne sommes plus vraiment ensemble.

— Comment ça ? Raconte.

Il s'apprêtait à parler, mais la circulation se débloqua et il put prendre la sortie qui nous mènerait à China-town.

Il faisait toujours aussi chaud. On arriva enfin à Canal Street, encombrée par une foule animée où des familles asiatiques se promenaient en agitant des éventails tandis que des hommes adipeux, en costume impeccable, buvaient du thé à la terrasse des restaurants. William trouva une place devant un traiteur appelé Phong.

Mes émotions du matin et ma petite machine à fantasmes m'avaient creusée. J'avais une faim de loup. William aussi semblait avoir la dalle. Nous avons commandé du riz cantonais, des nems au poulet, des rouleaux de printemps, de grosses crevettes thaï et deux œufs de cent ans, tout noirs, qui trempaient dans le vinaigre. William a également pris plusieurs Tsing Tao et nous avons rangé le tout dans des sacs en papier kraft avant de nous diriger vers le parc de Colombus.

On a déniché une pièce d'eau ombragée par des saules pleureurs et j'ai repensé à la veille, quand je me suis retrouvée avec Sam Atkinson derrière le peuplier du terrain de sport. J'en voulais encore à cet idiot de m'avoir fait tellement envie, au point de le sucer et pour la première fois d'éprouver cette sensation délicieuse d'un sexe masculin dans ma bouche, avant qu'il ne gâche tout en me forçant à avaler sa semence.

On a bu avec plaisir les canettes de bière chinoise, fraîche et légère. Les bruits autour de nous étaient presque ceux que l'on peut entendre à la campagne, des cris d'enfants, d'oiseaux, quelques rires lointains, un aboiement de chien. Cela nous reposait de l'atmosphère confinée de la Honda Civic et de la rumeur stressante du pont Roosevelt. Une fois que l'on eut fait un sort au riz cantonais et aux rouleaux de printemps, moelleux à souhait, nous avons repris la conversation où on l'avait suspendue.

William s'allongea et je pus admirer une nouvelle fois sa silhouette musclée, son ventre plat et son torse moulés par le T-shirt immaculé.

— Oui, Mona et moi, c'est terminé. Tu comprends, je n'en pouvais plus de cette frustration sexuelle et de me branler sur des magazines porno achetés en cachette dans les sex-shops de Five Points. Alors, il y a quinze jours, avec des potes de l'équipe, on a pris le ferry et on est allé dans l'État voisin, à Mount View…

— Ouh, là, là! me suis-je exclamée. La Babylone de la côte Est, la ville de tous les vices depuis la Prohibition.

— Comme tu dis, l'intello! En tout cas, nous avons bu comme des ânes, joué aux machines à sous du Shipe-nawak Casino. On a été trois à gagner. Les autres, déçus, ont décidé de reprendre le ferry. Moi, je suis resté avec John Hawke et Al Updike. Et, comme nous avions les poches pleines de dollars, nous avons levé des filles dans les bars de Beamstreet, là où elles tapinent au milieu des sex-shops et des hôtels de passe. Je ne sais pas ce qui nous a pris mais on est monté avec des fouetteuses.

— Des quoi?

J'étais encore naïve à l'époque, et mon parcours dans l'Initiation pour être digne du Prince n'était alors qu'un lointain avenir.

— Des fouetteuses, des filles dont la spécialité est de faire mal et de dominer les mecs.

— Mais pourquoi avoir choisi ce genre de filles?

— Je ne sais pas, dit William en ouvrant la dernière Tsing Tao et en réussissant l'exploit de la boire allongé sans s'en mettre partout. Je ne sais pas, nous étions bourrés, je te le répète. C'est très gênant à raconter…

— Allez, vas-y, raconte quand même…

Je sentais de nouveau mon ventre se serrer et mon sexe se mouiller.

— Eh bien, nous sommes montés avec deux filles, deux Asiatiques qui se disaient mandchoues. Elles étaient très grandes, aussi grandes que nous, et elles étaient moulées dans du latex. Elles ont détaché des parties amovibles de leurs combinaisons, au niveau des seins, du sexe et des fesses et ça faisait un effet étrange, ces deux filles qui nous semblaient immenses, ces chairs blanches qui contrastaient avec le noir du latex. Elles ont alors sorti des martinets et nous ont demandé de nous déshabiller. Hawke et moi, nous nous sommes exécutés en riant mais Updike, lui, n'a pas bougé. Les filles, ensuite, nous ont ordonné de nous mettre à quatre pattes et elles ont commencé à lacérer nos fesses nues et nos couilles. Ce qui est incroyable, c'est que nous bandions comme des cerfs et que nous nous masturbions comme des furieux !

Aujourd'hui, la scène telle que la raconte William me semble d'un imaginaire bien pauvre car je connais les raffinements et l'élaboration des scénarios imaginés et réalisés par le Prince.

Mais, à cette époque, son récit me paraissait le comble de la perversité et faisait écho à mes prédispositions naissantes pour le sadomasochisme. Je voyais, en outre, que l'évocation de cette histoire, où se mêlaient la honte et le plaisir, excitait aussi William, à en juger la bosse qui déformait son jean alors qu'il continuait de parler d'une voix sourde en regardant le soleil filtrer à travers la ramure du saule pleureur.

Presque machinalement, à l'évocation de ce garçon si sain et propre sur lui, à quatre pattes dans la chambre borgne d'un hôtel de passe de Mount View, se faisant fouetter par une prostituée mandchoue, je dirigeai mes doigts vers les lèvres tuméfiées de ma chatte. William, ne semblant pas s'apercevoir de mon trouble ni d'ailleurs du sien, continuait de parler.

— J'ai joui une première fois sous les coups de martinet, mais il s'est produit une chose étonnante, c'est que j'ai bandé de nouveau presque aussitôt. À ce moment-là, une des filles m'a parlé en chinois ou je ne sais quoi, mais j'ai compris qu'elle voulait que je m'allonge sur le lit, sur le dos, et j'ai obéi. Elle a alors enfilé un préservatif sur ma queue, en riant avec sa copine qui faisait de même avec Hawke. C'est à ce moment-là, je crois, que Updike, toujours debout, toujours habillé et un peu vacillant, a commencé à prendre des photos avec un Polaroid. On était trop excité avec ces filles qui nous chevauchaient pour faire attention aux flashs et entendre le bruit des photos qui sortaient à la chaîne.

— Et je présume que ces photos, comme par hasard, se sont retrouvées dans le casier de Mona Watson…

— Tu as compris, tu as tout compris! Mona Watson a éclaté d'une colère froide, disant que j'étais un type dégoûtant. Ce qui l'a calmée, c'est quand je lui ai parlé de son press-book pris par les photographes de Tribeca. Il n'empêche, elle a dit qu'elle ne voulait plus me voir et qu'il était hors de question que je sois son cavalier pour le bal de fin d'année du lycée. Et devine qui est son cavalier?

— Updike, celui qui a pris les photos?

— Bingo!

Comme William avait l'air un peu malheureux, je me suis rapprochée de lui. Il sentait le gazon fraîchement coupé, la transpiration mêlée à une eau de toilette citronnée pas désagréable, et je l'ai embrassé. Il m'a rendu mon baiser et m'a prise sur lui. Nous avons jeté un coup d'œil circulaire dans le parc. La pause de midi était terminée. On se serait cru en pleine campagne.

Je me suis glissée comme une couleuvre vers le bas de manière à ce que mon visage se trouve à la hauteur de son sexe gonflé sous le 501. J'ai défait les boutons du jean et libéré une queue qui ressemblait à son propriétaire, grande, fine, donnant une impression de vigueur.

J'étais toujours vierge, mais j'allais sucer mon deuxième garçon en moins de trente-six heures et je dois reconnaître que j'éprouvais une joie un peu perverse à cette idée. Je me voyais comme une de ces courtisanes des empereurs de Chine ou du XVIIIe siècle en Angleterre.

J'engloutis William Blake comme j'avais, quelques minutes auparavant, dévoré mes rouleaux de printemps, et je trouvai cela bien plus agréable qu'avec Sam Atkinson. Au moins, les conseils de ce dernier m'avaient servi et j'agaçai habilement le gland de William tout en malaxant ses testicules avec douceur, abandonnant parfois la queue pour y plonger mon visage. À la fin, il jouit et, cette fois-ci, j'avalai avec plaisir.

Alors que j'essuyais mes lèvres avec un mouchoir en papier, il me demanda :

— Veux-tu être ma cavalière pour le bal de fin d'année ?

7

Le soir du bal, William Blake se révéla beaucoup plus décevant. Ou peut-être la magie du hasard de notre rencontre était-elle retombée. Elle m'avait laissé la sensation d'un moment unique réparant la maladresse un peu goujate de Sam Atkinson. Même l'hématome que j'avais à l'épaule me semblait délicieusement douloureux. J'appuyais d'ailleurs dessus quand je me masturbais le soir, devant ma glace, en regardant mon corps de jeune vierge. Mon abondante chevelure rousse, qui cascadait jusqu'à mes seins, s'harmonisait avec ma toison que je laissais encore à son état originel, un peu à la manière d'un jardin sauvage, laissant entrevoir des lèvres roses trop épaisses à mon goût mais qui, dans cet instant où le plaisir montait, me semblaient les portes d'un plaisir souverain.

Oui, la douleur de l'hématome et le désir qui montaient me paraissaient se marier voluptueusement, et cet épisode, que je devais raconter beaucoup plus tard à Bill Reich, mon analyste pervers, l'intéressa au plus haut point et accrédita sa thèse de fortes pulsions masochistes chez moi.

En me masturbant ainsi, debout face au miroir, je ne pouvais néanmoins tenir très longtemps. Mes jambes et mes cuisses commençaient à trembler et menaçaient de me faire tomber. Je me jetais alors sur mon lit sans que ma main quitte mon sexe, je fermais les yeux et une vraie sarabande érotique défilait tandis que je sentais les premières vagues de la marée montante de l'orgasme m'envahir.

Dans un ensemble à la fois confus et précis, je voyais William, bien entendu, mais aussi la pétasse en minijupe de cuir rouge, Sam Atkinson, son chino sur les genoux, l'officier de police Blisko et sa matraque, Mlle Simpson en porte-jarretelles, des copines romantiques, des prostituées asiatiques, l'équipe de base-ball au grand complet, bref tous ceux qui avaient si fortement excité ma libido. Et tous participaient à cette orgie où les bouches, les queues, les chattes se mélangeaient indistinctement, se pénétraient, où les doigts entraient dans les bouches, les sexes, où les seins aux mamelons érigés, les visages des uns et des autres recevaient des giclées de sperme semblant jaillir d'une fontaine inépuisable. Et moi, au milieu, objet de toutes les attentions, des garçons comme des filles, je devenais une sorte de reine de la volupté.

Elles me semblaient toujours trop courtes, ces partouzes fantasmatiques, avant que mon corps cambré, tous les muscles tendus, ne se relâche sur mon lit de jeune fille et que je retombe au milieu des peluches en serrant mes lèvres à me les mordre pour empêcher que mes gémissements, ou même mes hurlements, ne s'échappent et n'alertent mes parents. Quand je regardais les chiffres rouges de mon radioréveil flotter dans la pénombre de la chambre, je m'apercevais pourtant qu'il s'était écoulé parfois près de trois quarts d'heure, et c'était souvent la voix de maman, depuis la cuisine, qui m'appelait pour le dîner.

Comme il me semblait fade, alors, ce moment de retrouvailles familiales autour d'assiettes de brocolis et de hamburgers végétariens que maman, restée fidèle aux préceptes de la cuisine macrobiotique de sa jeunesse beatnik, continuait d'imposer à chaque repas. Comme elles me semblaient ennuyeuses, aussi, les conversations à trois autour de la table, conversations où il n'était question que des problèmes que rencontraient mes parents dans l'école où ils enseignaient, de ma future terminale ou de mon avenir universitaire qui se rapprochait.

Pourtant, entre les confidences de maman et les souvenirs de leur vie en communauté à Big Sur, je ne peux pas dire que mes parents étaient prudes. Mais auraient-ils pu imaginer que leur fille si sage, si bonne élève, membre du club poésie et déjà passionnée par l'histoire politique des États-Unis, était aussi une créature affamée de sexe, aux fantasmes de plus en plus inavouables, qui me désorientaient moi-même. Et ont-ils soupçonné que mes yeux cernés devaient autant à mes lectures tardives qu'à des séances masturbatoires qui me laissaient de plus en plus pantelante ?

Durant les quelques jours qui nous séparaient du bal, William et moi nous sommes vus assez souvent, mais on se contenta de boire des Coca et de prendre des repas dans un *diner*, toujours le même, pas loin de Verrazano Avenue, un des grands axes de Brookside, dans une rue transversale où se trouvaient surtout des magasins de sport spécialisés dans les produits dérivés des grandes équipes de la ville. Pour le football, on pouvait trouver tous les gadgets et accessoires des Giants, pour le base-ball, ceux des Yankees, toujours à la lutte avec les Red Sox de Boston. C'était le rêve de William : intégrer un jour prochain une de ces prestigieuses *teams* de la Ligue majeure.

Moi que le sport ennuyait prodigieusement, je feignais de m'intéresser à sa conversation. J'éprouvais vis-à-vis de lui un sentiment de reconnaissance, en souvenir de notre flirt poussé où j'avais joui en éprouvant dans ma bouche la douceur rigide de son sexe et la saveur, comment dire, presque estivale de sa semence. En plus, ce pauvre William avait des tas de papiers à remplir pour son université de l'Indiana et cela lui posait des problèmes insurmontables.

Quand nous quittions le *diner*, surtout fréquenté par des garçons qui ressemblaient à William ou des parieurs qui gardaient les yeux fixés sur les chaînes sportives, il me fallait le suivre dans ces magasins où il restait des heures à s'extasier devant des gants de base-ball dédicacés par les joueurs des Yankees. Le soir, il m'emmenait dans des boîtes pour teenagers, pleines de pétasses, avec une techno abrutissante, où les filles passaient leur temps à lui faire la bise et me regardaient comme si j'étais une crotte que le yorkshire mal élevé d'une star en plein shopping aurait déposée sur le trottoir d'une avenue chic d'Isola.

Certes, il dansait bien William, sa façon de bouger m'inspirant toujours le même désir au fond du ventre, mais ça s'arrêtait vite et je goûtais assez peu, quand nous revenions à notre table, ses baisers parfumés à la bière sans alcool, car ce n'était pas maintenant qu'il était pris dans l'équipe de cette obscure université de l'Indiana qu'il allait tout gâcher en prenant du poids.

C'était sa grande obsession, ça, le poids, et il m'en parlait comme si le moindre gramme qu'il allait prendre était aussi grave que la guerre du Golfe. Pour tout dire, je commençais à le trouver bien plus stupide qu'attendrissant, William Blake. Et puis il fallait aussi que j'assiste à ses entraînements. Le championnat de baseball n'était pas terminé et notre établissement devait absolument gagner les deux derniers matchs pour rester dans la même division.

Je me retrouvais dans les travées au milieu de pétasses hystériques, frustrées de ne pas pouvoir, comme lors des matchs, revêtir leur uniforme de pom pom girls. Mona Watson était bien entendu présente et n'était pas la moins énergique ni la moins enthousiaste. Je voyais bien qu'elle me jetait des coups d'œil en coin, assez haineux, et elle en rajoutait en soutenant de toute sa vilaine voix suraiguë son nouveau copain, son futur cavalier pour le bal : Al Updike.

J'essayais de trouver du plaisir à regarder ces grands types jouer et courir, trépigner de joie ou de colère, mais il n'y avait pas grand-chose de sexy dans cette danse hachée qu'est le base-ball. J'avais le temps de réfléchir. Il était évident que je n'envisageais pas un grand avenir à mon flirt avec William même si je persistais à penser qu'il était le mieux placé pour me débarrasser de mon pucelage. On sait que les bals de fin d'année du lycée sont le moment propice pour ce genre d'événements. Ce n'était pas très glamour, mais c'était comme ça.

En romantique, j'avais imaginé qu'un artiste m'invitait à passer un week-end dans un petit village de pêcheurs du Connecticut, un écrivain dont je serais devenue la muse. Nous aurions dîné dans un vieux pub, aux chandelles. Nous aurions entendu la mer, il m'aurait parlé de son œuvre autour d'un homard dont il aurait cassé les pinces pour moi et nous aurions bu un chardonnay de Californie qui aurait rougi mes joues, mais pas trop. Il m'aurait ensuite emmenée dans la chambre d'un hôtel au charme suranné dont les fenêtres auraient donné sur la mer. La lune aurait éclairé une jetée et la silhouette élégante des voiliers dans le port. Il m'aurait montré, le bras autour de mes épaules, sur la droite, la forme austère d'une vieille église de bois et de pierre construite par les premiers colons. Puis nous nous serions dirigés vers un lit aux édredons gonflés, un beau lit rustique, sentant bon les essences de la forêt américaine, comme tous les meubles de la chambre. Le parquet aurait craqué et les tableaux aux murs, datant de l'époque de Thoreau, auraient représenté des scènes du monde d'avant, avec des femmes en crinoline et des hommes en chapeau haut de forme huit reflets.

L'écrivain m'aurait lentement déshabillée dans la clarté lunaire. Il aurait, à chaque étape, couvert de baisers la partie du corps qu'il venait de découvrir. J'aurais noué, nue, mes mains autour de son cou, il m'aurait portée lui-même sur le lit et mon corps se serait enfoncé dans les édredons à l'odeur de lavande. Continuant à embrasser délicatement ma peau, il se serait déshabillé sans presque que je m'en aperçoive et, soudain, son corps nu se serait retrouvé contre le mien, déjà offert, déjà ouvert. Il aurait passé ses mains dans mes cheveux, les aurait respirés longtemps puis, avec une infinie douceur, il m'aurait pénétrée et j'aurais à peine senti qu'il rompait mon hymen avant d'entamer un lent va-et-vient, prenant bien soin de ne pas m'écraser, me faisant à un moment passer au-dessus pour que je puisse moi-même contrôler ma jouissance qui serait venue, évidente, délicieuse, mes soupirs et les siens se confondant harmonieusement avec le ressac.

Le lendemain, nous nous serions promenés dans la verte campagne. Il m'aurait parlé de son œuvre tout en conduisant une de ces voitures anglaises délicieusement démodées, une Jaguar des années 1950, par exemple. Nous aurions fait une halte chez des brocanteurs et des antiquaires, dans de petites villes proprettes et calmes, aux vastes maisons dont les façades en bois blanc donnent toujours l'impression d'avoir été repeintes la veille. Il m'aurait offert un camée ou un médaillon ancien contenant le portrait photographique d'une jeune fille d'autrefois qui m'aurait ressemblé. Et il aurait décidé que cette coïncidence serait le sujet d'une nouvelle qu'il publierait dans *Harper's Magazine* et qu'il me la dédierait avant de me demander en mariage…

Quand j'évoque avec le Prince ou quelques Initiés cette rêverie adolescente, nous rions de ma naïveté, chacun sachant que ce rêve de midinette n'aurait jamais pu me satisfaire. Nous convenons sans problème qu'il y a en moi cette obscure force du désir de soumission et de domination totales – plaisir qui n'a rien de commun avec ce sadomasochisme pour puceaux qu'avait connu William ni avec ce romantisme mièvre hérité de Scarlett O'Hara dans *Autant en emporte le vent*.

En attendant, j'étais dans les travées du stade du lycée, à regarder des jeunes gens jouer au base-ball, à faire semblant de m'intéresser et d'applaudir à un beau lancer de William, histoire de marquer mon territoire auprès des pétasses en général et de Mona Watson en particulier.

Lors d'un entraînement, Mona vint une fois vers moi, l'air ironique. C'était une brune, aussi grande que moi, avec des mensurations de poupée Barbie. Elle était coiffée d'un carré à la Louise Brooks, qui avait été réalisé par un artiste du ciseau, certainement à Brookside mais plutôt dans un de ces salons d'Isola où le personnel vous offre des cappuccino au citron et ponctue ses propos inintéressants de mots français et italiens. Elle portait un jean Versace incroyablement moulant, vert et délavé comme c'était la mode cette année-là. À n'importe qui d'autre, il aurait donné l'allure d'une de ces putes de luxe que l'on voit en compagnie des traders, dans les restaurants branchés et hors de prix du quartier des affaires. Elle avait un petit haut blanc en soie sauvage qui remontait au-dessus de son nombril orné d'un piercing en pierre précieuse. Elle portait des baskets Burberry et son sac à dos venait de chez Maxwell Scott. Sans doute des cadeaux offerts par William ou Al Updike, maintenant qu'il avait récupéré cette poupée.

Autant j'avais trouvé du chien à la pétasse en mini-jupe de cuir rouge, autant il y avait chez Mona quelque chose de sec. Elle faisait penser à ces filles qui prennent de la coke ou vont vomir discrètement dans les toilettes à la fin d'un repas. Une anorexique hargneuse et hystérique dont la rumeur disait qu'elle allait entrer dans la boîte de publicité de son père, n'ayant trouvé aucune université pour l'accueillir.

— Alors, tu te tapes William ?

L'attaque était frontale. Elle mâchait de manière exagérée son chewing-gum et me fixait de ses yeux trop petits, qu'elle n'arrivait pas à rendre plus grands malgré le mascara. Ce devait être son cauchemar.

— Disons qu'on sort ensemble…

— Eh bien, il n'est pas dégoûté !

Je me suis efforcée de ne pas rougir mais je ne suis pas certaine d'y être parvenue. Je me suis sentie un peu mal dans ma robe en dentelle.

— Il faudrait le lui demander, mais je lui offre sans doute ce que tu ne lui accordais pas…

Mona se raidit.

— Qu'est-ce que tu entends par là ?

— Rien… Tu ne veux pas regarder l'entraînement, plutôt ?

Sa voix, qui n'avait pas besoin de ça, monta dans les aigus.

— Je n'aime pas tellement ce genre de sous-entendus, surtout de la part d'une morveuse de première qui s'habille comme l'as de pique.

Les autres filles se rapprochèrent, avec cet air typique des pétasses sur le point d'assister à un esclandre qui alimentera leurs conversations vides lors de leur prochain shopping.

J'avais chaud et le parfum de Mona m'écœurait. Je me demandai ce que je fichais ici, agressée par une dingue, à attendre un beau gosse, certes, mais qui m'ennuyait prodigieusement.

— D'après ce qu'il m'a dit, Mona, ce n'est pas parce que tu portes des strings que tu es généreuse avec ton cul. On le voit plus du côté des agences de Tribeca…

J'avais dit ça de la voix la plus douce et la plus fausse que j'avais à mon répertoire. Et je m'étonnais moi-même de la brutalité froide de mon attaque.

Mona Watson resta interloquée. J'eus l'impression qu'elle se tassait sur elle-même, son petit haut blanc en soie sauvage se ratatinant soudain tel un chiffon sur une brindille desséchée. Du côté de ses copines, ça hésitait entre la franche stupéfaction et l'hilarité retenue. J'eus peur un instant qu'elle se jette sur moi, toutes griffes dehors. Comme un chat maigre mais sauvage, elle avait de longs ongles peints du même vert que son jean Versace.

Heureusement, provenant du terrain, un long coup de sifflet annonça la fin de l'entraînement. Cela lui permit de sauver l'honneur et d'éviter le combat de chiffonnières en me tournant le dos, se contentant d'une phrase :

— Tu me paieras ça, grognasse, un jour ou l'autre.

Je ne parlai pas de cet incident à William qui vint aussitôt, en sautant par-dessus la balustrade, me donner en sueur un baiser et me dire qu'on se retrouvait tout à l'heure. J'avais mal à la tête et je pêchai un Advil dans ma sacoche.

Si elle avait su, cette pauvre Mona, que je n'espérais qu'une chose de son ex : qu'il me dépucelle après le bal afin que je puisse me sentir enfin femme. Parce que les journées avec William Blake, les baisers dans la Honda Civic et les masturbations mutuelles commençaient à me lasser…

8

Enfin, le grand jour arriva. Je m'en voulais de l'attendre avec autant d'impatience. Mes copines romantiques se moquaient de moi et je faisais tout pour éviter Sam Atkinson qui téléphonait à la maison trois fois par soir. J'adressais des signes frénétiques à ma mère ou à mon père pour qu'ils inventent des excuses, et je dois admettre que maman était bien plus douée pour mentir que papa qui bégayait de façon pitoyable.

J'eus bien sûr, le soir du grand bal de fin d'année, la satisfaction narcissique de toutes les jeunes filles américaines, ou presque : être la plus belle pour aller danser et avoir pour cavalier la vedette du lycée, le garçon le plus populaire. J'eus également celle de voir Mona Watson, bien qu'accompagnée d'Updike, me lancer des regards noirs et tenter assez perversement de me bousculer devant le buffet, alors que je me servais un verre de sangria.

J'échappai miraculeusement à la catastrophe en écartant mon verre de ma petite robe noire que la sœur aînée de ma mère, tante Tricia, avait confectionnée à la hâte d'après un modèle vu dans un catalogue Agnès B. Je voulais bien m'habiller comme une romantique un peu baba cool durant l'année mais, puisque j'avais décidé d'y aller à ce bal, autant avoir l'air de ces filles sophistiquées des films européens dont nous raffolions et que nous allions voir dans les cinémas d'art et d'essai du Lincoln Center, du MoMA ou du Forum de la 118ᵉ Rue, au niveau de Barnaby Avenue. J'avais adopté le look de Monica Vitti dans les films d'Antonioni, dont *L'Éclipse* repassait au Forum – mais je n'avais évidemment pas tenté d'y emmener William…

Ma mère avait trouvé un peu ridicule cette manière de me pomponner et, disait-elle, de me soumettre à ce rituel antiféministe au possible, mais j'avais vu dans les yeux de mon père, une fois que j'avais remonté mes cheveux roux en chignon dont quelques mèches retombaient savamment sur mes tempes et mes joues veloutées par un très discret fond de teint, une surprise mêlée d'admiration et de tristesse : sa petite fille était devenue une jeune femme et, sans doute, trouvait-il que le temps passait bien vite, bien trop vite.

D'habitude, je me maquillais peu, et mal, mais, ce jour-là, l'instinct, le désir et l'attente de cette révélation que serait un garçon en moi avaient guidé ma main avec une sûreté qui m'avait moi-même étonnée, une sûreté presque surnaturelle. C'était finalement un premier signe de la manière plus qu'étrange dont la soirée allait se dérouler.

Pourtant, au début, tout fut terriblement… normal.

La Honda Civic de William s'est arrêtée devant la maison. Il a sonné à la porte, méconnaissable dans son smoking. J'ai presque eu envie de rire et la surprise de mes parents fut encore plus drôle à voir. Même en tenue de gala, William avait l'air de ce qu'il était, un bon garçon qui serait, avec de la chance, champion universitaire de base-ball, mais en rien un homme qui inventerait de nouveaux produits financiers ou qui révolutionnerait la littérature américaine.

Papa et maman firent bonne figure et ils eurent le comportement de circonstance : ils invitèrent William à boire un verre. Ce dernier faillit renverser deux vases et garda la bouche bée en entrant dans le salon, où il dut se croire projeté dans une dimension parallèle. Les rayonnages de la bibliothèque couvraient presque tous les murs et voisinaient avec les sculptures en terre cuite d'inspiration hopie que maman avait créées dans les années 1960 et, surtout, avec un poste de télévision qui devait dater de la première élection de Ronald Reagan.

Papa proposa un whisky que William déclina, à la fois pour montrer qu'il était un sportif soucieux de son régime et un garçon responsable puisqu'il allait me conduire jusqu'au bal. Il se devait donc de rester sobre, mais il accepta un Coca light. Je me sentis obligée de l'imiter, alors que papa et maman, sans doute pour se remettre du choc de me voir sortir avec ce genre de garçon, se versaient de généreuses rasades du liquide ambré.

La conversation ne dura qu'un petit quart d'heure, même si elle me parut bien plus longue. Tout le monde était vaguement gêné et une fois que la météo, le lycée, la fac de l'Indiana et la circulation en ville furent passés en revue, maman annonça d'une voix absurdement mondaine que je ne lui connaissais pas :

— Mais comme le temps passe, mes enfants ! Allez-y si vous ne voulez pas être en retard.

Nous fûmes à l'heure et notre entrée fit sensation.

Le bal de fin d'année se déroulait dans la grande salle d'honneur du lycée et tout était conforme à la tradition : les guirlandes de papier, les banderoles, l'orchestre venu tout droit des années 1960, auquel succéderait, plus tard, un DJ. Le buffet gigantesque renvoyait à l'idée d'une catastrophe diététique : des montagnes de sandwichs à la dinde, au porc, au poulet, au bœuf mais, bien entendu, tous noyés de mayonnaise, des immenses saladiers de chips, américaines et mexicaines, des bols de sauces pimentées qui enflammaient la bouche, des plats de saucisses cocktail, des montagnes de cacahuètes, de noix de cajou, de pépins séchés de citrouilles avec un taux de sel à réjouir tous les cardiologues de Brookside. Il y avait bien quelques légumes en *dips* mais, pour les accompagner, il fallait les tremper dans une crème moutardée.

Du côté des desserts, les inévitables cheese cakes et carrot cakes, eux aussi noyés dans la crème, jouxtaient les classiques sucreries régressives : marshmallows barres Hershey's, sucettes Charms blow pop avec leur chewing-gum, j'en passe et des pires.

Concernant les boissons, l'habituelle hypocrisie était de mise. La sangria, très légère, était le seul alcool autorisé avec la bière pression. Mais tous les garçons, et certaines filles aussi, avaient sur eux des flasques de whisky, de tequila, de vodka ou de mescal qu'ils faisaient circuler, sans compter l'herbe qu'ils allaient fumer discrètement, du côté du parking.

Le corps professoral et le personnel administratif étaient présents pour écouter le discours du proviseur qui félicita «cette brillante communauté» que formait notre lycée. Il souhaitait bon vent à tous les diplômés de terminale, espérant que, dans leurs universités respectives, ils n'oublieraient pas leur vieux lycée et les saines valeurs que leurs enseignants leur avaient transmises. C'était à peu près le même discours qu'il avait servi, quelques jours plus tôt, lors de la remise des diplômes, où j'avais souri en voyant William, vêtu d'une toge bleue trop petite pour lui, se saisir du parchemin.

Les profs attendaient manifestement que le proviseur s'en aille pour rentrer à leur tour chez eux et nous laisser à nos agapes qui ne les intéressaient guère, sauf peut-être un des profs de géo, un quadragénaire un peu bedonnant dont on disait qu'il était un vrai pervers sans pouvoir le prouver. Certaines prétendaient toutefois l'avoir vu traîner à plusieurs reprises dans le vestiaire des filles.

Je commençais à m'ennuyer sérieusement. Il n'y avait personne de mon petit cercle habituel et William était parti depuis un bon quart d'heure en direction du parking, certainement pour boire du sérieux en compagnie du capitaine de l'équipe de base-ball. Je présume qu'ils se saoulaient tous joyeusement et je voyais avec inquiétude les performances sexuelles de mon champion s'émousser. Pour tromper mon impatience et mon énervement, je me suis mise à m'empiffrer de marshmallows qui me rappelaient le goût de mon enfance. Je me suis aperçue, également, que Al Updike n'était pas sorti avec les autres membres de l'équipe. D'après ce que j'avais compris, ils ne lui avaient pas pardonné le coup des photos, et John Hawke, qui s'était fait fouetter par les dominatrices de Mount View, avait failli lui casser la gueule. Al, en dehors du terrain, était devenu la brebis galeuse. Ça n'avait pas l'air de le gêner. Il dansait avec sa nouvelle conquête un rock joué par le groupe, qui allait bientôt céder sa place au DJ.

Mona Watson, dans un fourreau lamé qui devait coûter le salaire moyen de mes parents instit, déployait une énergie démesurée. Je la soupçonnais de vouloir épuiser ce pauvre Updike, histoire qu'il ne se montre pas trop entreprenant après le bal. Cette fille était une allumeuse qui n'aimait pas le sexe et, finalement, je trouvais ça beaucoup plus pervers que tous mes fantasmes les plus débridés. Elle ne ratait pas une danse, ne s'arrêtant que pour boire de la sangria. À voir son énergie surnaturelle, je soupçonnai qu'elle avait dû se poudrer le nez avant de venir. Elle ne devait pas avoir trop de mal à se procurer cette saloperie de coke, avec ses relations dans la mode et son père dans la pub.

— Je vais vous souhaiter une bonne soirée, mademoiselle.

Je sursautai et me retournai. Joséphine Simpson n'avait pas commis de folie vestimentaire, conservant son habituel tailleur.

— Le proviseur vient de partir et le personnel ne va pas tarder à suivre. Plus rien ne m'oblige à rester.

Elle me parlait en me fixant d'un regard inhabituel.

— Je pense que vous n'aimez pas tellement Mona Watson, ni toutes les filles dans son genre.

Je faillis lui demander ce que cela pouvait bien lui faire mais je me retins.

— Non, effectivement, mademoiselle Simpson.

— Vous n'étiez pas très concentrée, l'autre jour, pour votre bilan de fin d'année.

Je ne pus m'empêcher de rougir jusqu'aux oreilles. Je fus persuadée qu'elle avait lu dans mes pensées, ce jour-là, qu'elle avait parfaitement vu le contenu de mes fantasmes et du scénario que j'avais échafaudé, avec tous les détails de sa baise sauvage avec l'officier de police Blisko.

Il se passa alors quelque chose d'incroyable. Elle me sourit. Pas ce sourire mécanique qu'elle avait quand elle parlait à ses collègues ou à ses élèves, mais un sourire complice.

— Vous possédez un don, mademoiselle. Un don très particulier. Il vous faudra savoir l'exploiter, faire les bonnes rencontres et… un avenir surprenant vous attendra. Mais ce n'est pas évident. J'en ai vu d'autres que vous qui n'ont jamais pu l'exploiter.

Ses propos étaient étranges. Même si j'ai toutes les raisons de les comprendre aujourd'hui, je me trouvais alors dans le brouillard. J'avais du mal à discerner si elle me parlait en conseillère d'orientation ou si elle faisait allusion à la façon dont, depuis quelques mois, ma sexualité se révélait à moi sous forme de fantasmes plus extravagants les uns que les autres, plus troublants aussi...

— Quel don?

Elle sourit encore.

— Vous ne devinez pas? Vous êtes pourtant très imaginative...

Une nouvelle fois, je rougis. Elle savait. Ce n'était pas possible, mais elle savait. J'avais la quasi-certitude qu'elle avait lu dans ma psyché, au plus profond de mes fantasmes, et, qui sait, me demandai-je avec une certaine angoisse, si ce n'était pas elle, Joséphine Marge Simpson, derrière son allure terne de vieille fille, qui avait suscité les visions si crues, si excitantes, si précises, si réelles que j'avais eues dans son bureau.

— Ce n'est pas impossible, allez savoir..., me dit-elle.

— Mais je n'ai rien dit! Qu'est-ce qui...

Elle posa un doigt sur ses lèvres, à la manière d'un «chut» muet.

— Si je vous parle ce soir, c'est pour que vous sachiez que vous avez ce don. Avec de la chance, vous en découvrirez progressivement la nature et vous croiserez certaines personnes qui vous orienteront. Mais il est certain que ce ne sera pas cette Mona Watson ni même ce William Blake, quoi que vous espériez ce soir.

Je déglutis péniblement. Je sentais la sueur perler sur mes tempes et une de mes mèches échappées de mon chignon se collait.

— Pourquoi me dites-vous ça ce soir, justement?

— Parce que celle que vous surnommez tous Marge va quitter le lycée et que je ne serai plus là l'année prochaine pour vous prodiguer mes ultimes conseils… d'orientation. Bonsoir, mademoiselle et, qui sait, peut-être à plus tard.

Elle tourna les talons et se faufila avec légèreté au milieu des danseurs avant de disparaître. J'aurais voulu courir derrière elle, lui demander des éclaircissements, mais quelque chose m'en dissuada. Je restai là, à méditer ces étranges propos. Je devenais étrangère à la fête. De quel don pouvait-il bien s'agir?

9

Je ne vis pas l'orchestre ringard céder sa place au DJ et n'entendis pas la techno remplacer les vieux rocks. Je ne vis pas, non plus, l'éclairage stroboscopique et les fumigènes rendre soudain l'atmosphère moins innocente. Il fallut que Mona Watson et ce dadais d'Al Updike reviennent près de moi, dégageant une forte odeur de transpiration.

— Alors, ma belle, me lança Mona Watson. Il t'a déjà laissée en rade, William, ça promet pour la suite !

Elle éclata d'un rire forcé suivi par les gloussements saccadés et simiesques d'Al Updike qui n'avait pourtant, je l'aurais juré, rien entendu.

Je ne réagis même pas, j'étais encore sous le coup de cette étrange conversation avec Joséphine Simpson. J'eus besoin d'un remontant, et pas cette maudite sangria ni cette bière light. Je demandai donc, sans même prêter attention à Mona Watson :

— Dis donc, Updike, plutôt que de rire bêtement, tu n'aurais pas un truc sérieux à boire ?

Il eut l'air estomaqué, Mona Watson aussi. Il jeta un regard vers elle. Je ne sais pas quel démon me prit mais je lâchai :

— Tu as besoin de sa permission ? Tu espères quoi ? Qu'elle passe à la casserole ce soir ? Eh bien, tu rêves. Je suis certaine que tu n'as même pas eu encore le droit à la moindre petite pipe. Je me trompe ?

— Salope, tu es une vraie salope, cracha Mona Watson.

Al Updike ne savait plus trop quoi dire. Son visage lunaire m'apparaissait par intermittence dans la lumière stroboscopique, mais j'en voyais assez pour deviner sa frustration et sa gêne.

— Je suis sûre que tu as de la vodka ou un truc du genre sur toi. File-m'en une ou deux gorgées et je te suce dans l'instant !

— Tu es une vraie chienne, hurla Mona Watson, hors d'elle, une vraie chienne. Je vais te tuer. Al, si tu lui files à boire, c'est fini entre nous. Et toi, ma salope, je vais le dire à William.

— Il ne te croira pas et, à l'heure qu'il est, il doit être complètement défoncé. Le temps qu'il émerge, j'aurais eu le temps de faire ce que j'ai à faire, Mona.

L'avantage avec des garçons comme Updike, c'est qu'ils ne voient pas plus loin que le bout de leur nez. Il sortit une flasque d'alcool. Mona, furieuse, tenta de la lui enlever mais il se contenta de lever le bras et dit :

— Tu me suceras vraiment ?

Je fis mine de cracher par terre :

— Croix de bois, croix de fer, si je mens je vais en enfer…

Mona se mit à couiner. Elle était saoule et l'énergie qu'elle avait trouvée dans la poudre blanche retombait d'un coup. Elle s'éloigna, les épaules voûtées.

Al Updike la regarda partir, avec une légère inquiétude, tout en me tendant la flasque. Je bus deux longues gorgées. Ce n'était pas de la vodka mais un excellent bourbon, comme celui que buvait papa quand j'étais plus jeune et dont il me laissait sentir l'odeur de grain. J'en vidai la moitié.

— Eh là, doucement…, dit Updike.

— Dis donc, pour une pipe, tu pourrais te montrer plus généreux.

— Tu vas vraiment tenir ta promesse ?

— Qu'est-ce que tu crois ?

— Mais Mona, mais William…

— La nuit est encore longue, Al, je suis certaine, qu'on va les récupérer. Allez, viens…

— On va faire ça où, dans les toilettes ?

— Si tu veux que je te suce, il va falloir éviter d'être aussi sordide, Al Updike. Avec une nuit comme ça, aussi chaude, nous n'aurions aucune raison de ne pas aller dehors, histoire de nous sentir au contact des éléments, de la nature, au cœur de cette métropole d'acier et de béton.

J'avais volontairement employé un ton grandiloquent et il avait l'air encore plus désorienté.

— Excuse-moi, je…

— Suis-moi, plutôt.

Le bourbon, ajouté à l'idée de sucer ce garçon, avait chassé, au moins provisoirement, les propos si mystérieux de Mlle Simpson. J'emmenai Al du côté du terrain de sport, à l'opposé du parking, afin d'éviter de croiser William.

— Je connais un peuplier sympa, dis-je.

Nous n'étions pas les seuls à avoir eu l'idée du terrain de sport et du parc qui l'entourait. Un peu partout, on pouvait observer des couples plus sombres que la nuit, des couples qui s'enlaçaient entre les arbres et les buissons. Certains avaient des positions déjà très équivoques et des gémissements fleurissaient sous la lune. On aurait dit un jeu d'ombres chinoises, auxquelles excellait mon oncle Billy, le frère de maman, et qui m'amusaient tant quand j'étais petite. Là, il ne s'agissait ni de Donald, ni de Batman, ni de l'éléphant ou de la girafe. On voyait plutôt des silhouettes en chevauchant d'autres, des têtes penchées vers des entrejambes, des corps tête-bêche.

Nous nous retrouvions dans une véritable fête galante, comme sur ce tableau de Watteau que j'avais vu, lors d'un voyage scolaire à Boston, pendant une visite du Museum of Fine Arts. Je devais avoir huit ou neuf ans et ce tableau avait exercé sur moi une étrange magie, alors qu'il avait laissé indifférents mes camarades plus intéressés par les couleurs vives du popart. Et voilà que je m'y retrouvais.

Nous sommes enfin parvenus au pied du peuplier. Al Updike s'enfila une rasade de bourbon et me redonna la flasque. Je la terminai, la jetai dans l'herbe et le poussai contre l'arbre où, il y avait à peine une dizaine de jours, j'avais sucé Sam Atkinson. Je n'étais pas vraiment excitée, en fait, je me voyais presque comme extérieure à moi-même et c'est ainsi que je m'attaquai à la braguette d'Updike pour en sortir... un ridicule petit sexe, un vrai doigt d'enfant. Je me retins, par courtoisie, d'éclater de rire, mais c'était vraiment comique de constater qu'une armoire à glace comme Updike était aussi peu membré.

Je comprenais mieux, tout à coup, pourquoi il s'était contenté de prendre des photos et n'avait pas participé à la séance avec les fouetteuses asiatiques de Mount View. Ce n'était pas par vice ou méchanceté, c'était pour se donner une contenance car il était certain que ses deux acolytes, et peut-être même les filles, se seraient moqués de lui. À cet instant, il devait être vraiment ivre ou vraiment excité pour être désinhibé au point de ne plus avoir honte.

Je pris le sexe d'Al en bouche et tout alla à une vitesse stupéfiante. Comme le bourbon m'avait anesthésié les papilles, je ne sentis aucun goût, aucune saveur, rien. Le fait d'avoir joui sembla lui avoir rendu ses esprits.

— Tu ne diras rien, dit-il d'un air inquiet en se rebraguettant.

— À propos de quoi?

— Eh bien de la taille de...

— Je te promets que non, Al.

— Tu es une chic fille.

Ce n'est pas comme ça que je me définirais aujourd'hui, mais il était inutile d'humilier ce garçon. Je n'étais pas encore une Initiée et, pourtant, je devinais qu'il n'y a d'humiliation heureuse que consentie, au plus fort des mystères de la vraie soumission.

Nous sommes retournés vers la salle de bal, traversant une nouvelle fois ce parc si aimablement orgiaque. La frustration suite à ma trop brève rencontre érotique avec Al Updike s'en trouva aiguisée. J'enviais ces silhouettes de filles que je voyais, presque comme si j'étais nyctalope, recevoir de vigoureux coups de boutoir. Souvent, elles étaient adossées à des arbres, les bras noués autour du cou de leur partenaire, les cuisses entourant sa taille, et ce dernier les faisait aller et venir sur un sexe que la nuit et la faible clarté rendaient paradoxalement démesuré.

Pourquoi n'étais-je pas une de celles-ci? Pourquoi ne sentais-je pas en moi la raideur brûlante d'une queue qui m'aurait empalée de toute sa longueur, me dilatant, frottant délicieusement mon clitoris?

J'étais de nouveau trempée: pourquoi n'y avait-il personne pour froisser ma petite robe noire, pour me décoiffer et pour me reposer dans l'herbe tiède, pantelante? J'aurais voulu rester dans le tableau, dans ce monde de plaisirs nocturnes.

Je laissai Updike filer devant. Ce fut presque avec attendrissement que je vis sa silhouette massive disparaître d'un pas dandinant d'ours maladroit : ce pauvre garçon, avec son sexe microscopique, n'allait pas forcément avoir la vie facile.

Les magazines féminins ont beau nous seriner que ce n'est pas la taille qui compte, mais la manière de s'en servir, la tendresse et l'habileté qui vont avec, les filles savent bien que ce discours vise surtout à rassurer les garçons mal pourvus. Toutes, quand nous sommes entre nous et vraiment sincères, n'avons qu'une devise : un sexe de mec, plus c'est gros, mieux c'est.

Oui, j'avais vraiment envie de m'attarder, quitte à passer pour une voyeuse, dans cette atmosphère libertine où des corps exultaient dans la nuit d'été, chaude et agreste. Si ce devait être ma première, ce soir, je souhaitais que cela ait lieu ici, plutôt que sur la banquette arrière d'une voiture. J'espérais, d'ailleurs, que William avait prévu autre chose que l'habitacle de sa Honda Civic. Je ne me voyais pas entortillée de manière inconfortable et ne plus savoir où seraient nos têtes, nos membres, nos sexes. Non, ce serait le fiasco assuré.

Nous n'en avions pas parlé avec William, auparavant, moitié par pudeur, moitié par superstition, je crois. Mais j'aurais peut-être dû, quitte à avoir l'air froide et calculatrice. Non, la banquette arrière ou même le siège avant en position couchée, ça ne m'allait pas du tout comme perspective.

Autant régler ces détails tout de suite et aller le retrouver avant qu'il ne soit plus bon à rien. À défaut de le persuader de me suivre et de quitter le bal, je pourrais peut-être limiter sa consommation afin qu'il soit encore, comment dire, « opérationnel ».

10

J'allais à mon tour entrer dans la salle. Je percevais déjà les vibrations sourdes de la techno qui faisait vibrer les murs quand un bruit attira mon attention : un sifflement bref se terminant par un claquement. Je me demandai d'où cela pouvait venir, à moins que ce ne fût qu'une simple illusion acoustique due aux battements de la musique. Mais non.

À nouveau, j'entendis le même sifflement suivi d'un claquement. Cette fois, il me sembla deviner un cri étouffé. Je prêtai l'oreille, essayant de m'abstraire du bruit de la techno. Encore une fois, il y eut le sifflement, le claquement et, cela ne pouvait plus prêter au doute, il s'agissait bien d'un cri. Un cri féminin, un de ces cris que je devais tellement entendre, des années plus tard, lors de mon Initiation, y compris quand c'était moi qui les poussais et qui les pousse encore aujourd'hui. Un cri que l'on retient, un cri qui ne sait plus s'il est de l'ordre de la douleur, du plaisir, ou d'un mélange des deux, indispensables pour arriver à la sensation pure.

Je me rapprochai du bruit en contournant le bâtiment où se déroulait le bal. Les ramures des arbres cachant la lumière lunaire déjà faible, j'étais obligée de progresser en m'aidant du mur dont le crépi m'écorchait un peu les mains. Plus j'avançais et plus le sifflement, le claquement et le gémissement devenaient audibles, suivant un rythme d'une précision quasi métronomique. Enfin, ce fut près d'une des entrées de secours, éclairée par la veilleuse de sécurité, que je découvris une scène que je n'oublierais pas d'ici longtemps puisque, aujourd'hui encore, alors que j'ai vu, subi et connu des choses infiniment pires et délicieuses à la fois, les moindres détails sont restés gravés dans mon cerveau.

Était-ce cela, le don évoqué par Mlle Simpson en me faisant ses adieux tout à l'heure ? Une mystérieuse capacité à être attirée par ce genre de scènes et, qui sait, à les susciter ?

Ils étaient trois. Je compris qu'ils ne redoutaient pas d'être surpris car ils n'avaient pas hésité à condamner l'entrée de secours avec une barre de fer et que, si je ne m'étais pas approchée à pas de loup en contournant le bâtiment, ils auraient eu le temps de m'entendre venir et d'interrompre leurs petits jeux.

Il y avait d'abord un des vigiles, un grand Noir. Je l'avais vu en arrivant avec William. Il était chargé, avec quelques autres, de surveiller le bal de fin d'année, de s'assurer que des bagarres n'éclatent ni à l'intérieur, ni à l'extérieur, et que certains gangs de Brookside Sud ou même de Hell's Kitchen, qui se faisaient une spécialité des bals de fin d'année, ne viennent détrousser les participants. Pour l'instant, il n'était plus avec ses collègues, et son pantalon beige, avec son ceinturon et l'arme qu'il contenait, était baissé sur ses pieds.

Je remontais les yeux le long de ses cuisses musculeuses, parfaitement imberbes, jusqu'à un sexe énorme, vraiment énorme, dont la circoncision faisait ressortir un gland que la turgescence mauve rendait aussi étrange et fascinant, à la fois attirant et repoussant, qu'une sorte de coquillage mutant. Les testicules, eux, semblaient lourds et fermes, en proportion avec la queue, c'est-à-dire imposants et gonflés de sève prête à jaillir.

Le vigile avait gardé sa chemise à épaulettes, mais il l'avait déboutonnée. L'angle sous lequel je me plaçais me permit de voir de magnifiques abdominaux, que couvrait un léger voile de transpiration. Il me vint alors l'envie de me jeter sur lui pour lécher cette saveur salée, avant d'honorer cette magnifique bite. Je n'en fis rien, je me mordai le poing et, de ma main restée libre, je commençai à remonter ma robe noire vers ma petite culotte, un Tanga acheté chez La Perla, qui m'avait coûté un mois d'argent de poche. Je trouvai assez vite le bon rythme pour faire glisser mes doigts au cœur de ma chatte, un rythme qui s'accordait à la fois avec la nuit d'été, l'éclairage lointain et parcellaire des grandes tours du quartier, la lueur plus crue, presque parme, de la veilleuse de sécurité et, bien entendu, la scène inespérée qui se déroulait sous mes yeux.

À la main, le vigile tenait une baguette, qu'il avait dû hâtivement se fabriquer avec la branche d'un des forsythias que l'on voyait non loin de cette sortie de secours. À l'aide de cette verge, il cinglait les fesses blanches et pommelées d'une fille dont je ne pouvais voir le visage car elle était à quatre pattes, dénudée, sa robe de soirée chiffonnée à côté d'elle. Elle n'avait pas ou plus de soutien-gorge et ne portait qu'un string. Une autre raison expliquait que je ne puisse pas voir son visage : elle suçait goulûment un troisième protagoniste qui n'était rien moins que le professeur de géographie que l'on disait obsédé et fétichiste des lolitas. Lui aussi avait le pantalon baissé sur les chevilles et la chemise ouverte. En fait, il n'était pas si bedonnant que ça. Il échangeait, par-dessus la fille, des regards de complicité avec le vigile. Je compris que cette scène n'avait rien de spontané. Que ces deux-là se connaissaient de longue date et que la fille elle-même, sans doute une élève, faisait partie de leur association ou de leur groupe, car deux adultes n'auraient pas pris le risque de se livrer à cette séance avec une élève si celle-ci n'était pas de confiance et pleinement consentante – voire, sans doute, demandeuse.

Je sais maintenant que ces trois-là n'étaient pas des Initiés. Mais, pour la première fois, je soupçonnai l'existence de groupes plus ou moins occultes qui avaient décidé, en secret, de se livrer à tous les plaisirs sexuels sans se laisser entraver par la morale commune, le couple, la famille. Les seules entraves qu'ils acceptaient, soie ou cuir, étaient celles qui permettaient aux corps de démultiplier le plaisir en les immobilisant dans des positions inconfortables, humiliantes ou exhibitionnistes.

La scène continuait, sous mes yeux de lycéenne qui comprenait que ces trois-là avaient franchi une limite invisible, traversé un pays de tabous sociaux et religieux qui étaient autant de chemins conduisant hors des impasses grises de l'inhibition, des déserts d'insatisfaction sexuelle, des glaciers du renoncement, de la frigidité et de la frustration.

À chaque coup, la fille gémissait, cessant un bref moment sa fellation avant de replonger vers le sexe du professeur de géographie qui, s'il était moins imposant que celui du vigile noir, atteignait néanmoins de respectables proportions.

Je crus, sans certitude toutefois, reconnaître la fille à la minijupe rouge qui avait provoqué mon émoi lors de cette danse étrange, chez elle. Comment s'appelait-elle, déjà? Jennifer, oui, c'est ça. Jennifer Coyle. Elle n'appartenait pas à la bande de Mona Watson et, en dehors de cette soirée où, encore une fois, elle m'avait invitée par hasard, nous ne nous étions que croisées de loin. Elle était en terminale, moi en première.

Le vigile accentuait la force et le rythme de ses coups. Je voyais les fesses de la fille se zébrer de traits rouges. Chacun me faisait l'effet d'un élancement, un élancement qui partait de mon vagin, venait me chauffer les tempes et m'assécher la gorge et, comme elle, il me fallait étouffer mes cris, ce qui était plus compliqué car je n'avais pas une queue dans la bouche pour m'y contraindre et mes dents commençaient à laisser leur empreinte sur le dessus de ma main.

— On va changer, Jennifer. Tu as compris, petite chienne ?

C'était bien Jennifer Coyle, mon excitation redoubla. Je ressentais de nouveau au creux de mes paumes la sensation de ses hanches mouvantes enveloppées par le cuir rouge de la minijupe.

Et c'était le vigile qui avait parlé. Je crus, dans un premier temps, que c'était lui le maître de cérémonie. J'ai appris, depuis que je suis Initiée, que si les disciples du Prince appartiennent souvent à la haute société, ce n'est pas pour autant une règle absolue. Le Prince peut rencontrer, au cours d'une orgie, une personne qui lui semble apte à l'Initiation. Il lui appartient alors, selon son bon vouloir, de l'accepter parmi nous, l'éduquer et lui donner autant de pouvoir qu'aux Grands Initiés, qu'il s'agisse d'un docker à Hudson Port, d'une infirmière du Mount-Sinaï Hospital ou encore d'un officier de police en uniforme comme le patrouilleur Blisko.

Je sais également que, dans ces groupes spontanés qui se créent en dehors du contrôle du Prince, la hiérarchie n'est plus sociale, mais se fonde sur celui qui a le plus besoin de dominer, sur celui qui saura faire preuve de la plus grande imagination et même, parfois, de génie dans la mise en scène des rencontres qu'il faudra jouer pour le plaisir de tous.

La vérité est là : depuis que je suis Initiée, combien de fois ai-je vu des femmes arrogantes, aussi arrogantes que moi, ou parfois des hommes, le corps parfaitement entretenu par le sport, le soleil, les instituts de beauté ou la chirurgie plastique, qui aimaient, sur ordre d'un Initié ou du Prince lui-même, se livrer à des travailleurs clandestins, sur un chantier ou dans l'arrière-cour d'un restaurant mexicain, dans la ruelle la plus sombre et la plus malodorante d'Hancock Park, alors qu'un peu plus loin, tapie dans l'ombre, une limousine ou une grosse cylindrée allemande attendait avec à son bord un homme, une femme ou plusieurs, qui prenaient autant de plaisir à cette profanation organisée que celle ou celui qui en était l'objet.

Ce qui peut paraître étrange, à des gens qui ne sauraient rien de nos règles, c'est que les véritables maîtres de la cérémonie, les chefs d'orchestre de scènes de ce genre ne sont pas forcément ceux qui sont dans la limousine ou la berline allemande. Ils sont peut-être juste des spectateurs convoqués par la victime elle-même ou par son bourreau d'un soir, promu pour l'occasion grand ordonnateur.

— On va changer, allez, dépêche-toi ! reprit le vigile d'un ton autoritaire.

Il lui cingla une dernière fois les fesses avec habileté et la branche souple alla terminer sa course sur le sexe de la jeune fille. J'imaginais la morsure délicieuse, douloureuse, et un grand tressaillement parcourut mon corps.

La virilité d'ébène prenait la dimension fantastique d'un pieu de chair. J'aurais aimé l'approcher, le toucher,

le goûter et l'idée qu'un tel engin aurait pu me pénétrer m'emplissait d'un effroi exquis qui me fit accélérer
le rythme de ma masturbation, la petite robe noire
remontée maintenant jusqu'aux hanches par ma fureur
onaniste, le Tanga trempé.

Changer signifiait qu'elle se retourna vers le vigile,
qui lui ordonna :

— À genoux…

Elle s'exécuta et le sexe de l'homme se retrouva à la
hauteur de son visage. Un visage qui avait perdu toute
la stupide prétention de la pétasse, mais qui semblait
celui d'une sainte en extase, les cheveux collés par la
sueur sur le front, le regard plein de larmes mais aussi
un sourire comme on n'en voit que sur certaines icono-
stases dans les vieilles églises des émigrés russes, du côté
d'Odessa Beach.

J'enviai Jennifer Coyle, je l'enviai de toute mon âme.
J'aurais donné n'importe quoi pour être à sa place.

Le vigile caressait maintenant le pur visage trans-
figuré avec son membre, passant doucement d'une
joue à l'autre, s'attardant sur le front. Parfois, elle
tentait de le happer, comme assoiffée, mais le vigile,
d'une petite tape, l'en empêchait et faisait durer le
plaisir. À peine lui laissait-il, brièvement, plonger son
visage dans le paquet encore plus sombre formé par
les testicules démesurés.

En face, le professeur de géographie se masturbait,
l'air grave. Le vigile lui tendit la branche au moment
où il jouissait en longs jets qui vinrent se déposer sur
le dos de la jeune fille. Enfin, il lui accorda ce qu'elle
demandait et elle put engouffrer le sexe noir dans sa
bouche, goulûment. Il s'agissait d'un sacré morceau,
mais elle semblait avoir des capacités d'engloutissement
hors du commun.

— Tu aimes, n'est-ce pas, Jennifer? dit le vigile dont la voix rauque rappelait celle d'un chanteur de blues.

Pendant ce temps, le prof avait commencé à la flageller de nouveau. Elle tressautait à chaque coup mais cela ne la distrayait pas de son office : elle s'accrochait des deux mains à la partie de la queue du vigile qui ne pouvait entrer jusqu'au bout. Je fus désolée que la luminosité trop faible m'empêchât de voir son regard croisant celui du vigile, dont le sourire devait autant au plaisir qu'à une sorte de satisfaction d'essence supérieure, différente, presque mystique.

Oui, devant moi, le trio se livrait à une expérience au sens le plus fort du terme. À un moment, le vigile s'écarta et Jennifer, privée de la queue immense, sembla perdre un instant l'équilibre et, dans un gémissement de frustration, retomba à quatre pattes.

— Veux-tu que j'entre en toi, Jennifer? Le veux-tu?

— Oui, je vous en supplie…

Il la redressa avec une grâce brutale et, comme si elle ne pesait pas plus qu'une plume, il la souleva d'un seul bras, la maintint debout et la retourna. Il s'enfonça d'une seule poussée en elle, sous le regard du professeur de géo qui avait lâché sa baguette et qui, bandant de nouveau, recommença à se masturber. Les deux hommes jouirent en même temps dans un râle. Le vigile dans le corps de Jennifer et le prof, cette fois-ci, sur le ventre de la jeune fille.

Moi aussi, j'eus un orgasme dont je pus à peine réprimer le cri. Il alerta un instant les trois comparses. Je m'appliquai alors au silence le plus absolu tandis qu'ils regardaient autour d'eux, sans rien pouvoir discerner dans l'obscurité.

— Il serait peut-être temps de rentrer, dit le vigile. On va finir par remarquer notre absence.

— Tu as raison, dit le professeur. Jennifer, reste encore un peu dehors, le temps de retrouver une allure présentable…

Les trois, après l'instant d'inquiétude, avaient retrouvé, sur leurs visages, un sourire comblé.

— Quand désires-tu que nous nous retrouvions, Jennifer? demanda le vigile, question qui me troubla car, finalement, il semblait bien que ce fût la jeune fille dominée qui, d'une certaine manière, menait le jeu.

— Chez le professeur, après-demain, à 18 heures.

— Mais j'ai plein de dossiers à remplir pour l'année prochaine!

— J'ai dit après-demain, 18 heures.

Les deux hommes, remontant leurs pantalons et reboutonnant leurs chemises, devant le ton autoritaire de la jeune fille, dirent à l'unisson, comme des soldats disciplinés:

— Bien, il en sera fait comme tu voudras, Jennifer.

11

Maintenant, Jennifer était seule.

Elle s'étira longuement dans la nuit, tournant sur elle-même, en soupirant d'aise, comme dans une danse rituelle.

Je pouvais voir les marques rouges des lacérations de son dos, et les traces de foutre séché sur son ventre.

Je ne sais pas pourquoi (avec des années de recul, je le sais aujourd'hui), je m'approchai d'elle après m'être rajustée.

Elle n'eut pas l'air surprise de me voir et continua sa danse de derviche tourneuse, sur un rythme plus lent.

— Tu as tout vu, ça t'a plu, n'est-ce pas?

J'avais la bouche sèche, le sexe trempé.

— Oui, excuse-moi. Je n'aurais pas dû, je ne dirai rien.

Elle eut un petit rire, sans méchanceté, tandis qu'elle tournait toujours sur elle-même.

— J'ai su que tu étais là depuis le début. Je te reconnais, tu sais. Tu es la fille que j'ai invitée, il y a quelques mois, à ma soirée. Ne t'inquiète pas, va, les autres ne se sont aperçus de rien. Ni Jack, le vigile, ni le prof de géo… Ce pauvre M. Roberts que l'on accuse toujours de traîner dans le vestiaire des filles alors qu'il vient juste déposer dans mon casier des mots soigneusement codés pour me prévenir quand tout est organisé pour une de nos… de nos séances avec Jack.

Elle cessa d'onduler. Elle était merveilleusement belle, comme transformée. Elle n'avait plus rien de la pétasse, modèle courant dans notre lycée de Brookside. Ses yeux battus, d'un joli bleu-gris, exprimaient une lassitude assouvie, une de ces fatigues heureuses qui sont celles des missions accomplies.

— Si tu savais que j'étais là, pourquoi n'as-tu rien dit? ai-je demandé.

— Eh bien, tout simplement parce que cela t'excitait, tout comme moi. Ton regard dans l'obscurité était presque aussi délicieux que la branche qui me fouettait, que ces sexes dans ma bouche ou dans ma chatte.

Une sirène de police, lointaine, me rappela l'étrangeté de la situation.

Je n'étais pas dans un rêve, même si cette nuit avait une tonalité franchement onirique. Bill Reich, mon analyste, qui a pourtant très bien compris qui j'étais, au point de m'honorer lui aussi de sa bouche, a d'ailleurs toujours émis des doutes sur cet épisode. Il prétendait que les années de frustration qui suivirent cette période de ma vie et formèrent une morne parenthèse avant que ne commence, sans même que je le sache, mon Initiation, avaient enjolivé ce qui n'était qu'une banale nuit de bal de fin d'année. Je suis certaine, pour ma part, du contraire.

— Tu sais, reprit Jennifer Coyle, que je ne t'avais pas invitée par hasard.

— Quoi?

— Eh bien, tu ne t'es jamais demandé pourquoi moi, une pétasse, comme vous nous appelez, j'avais invité une fille comme toi?

— Un malentendu, non?

Elle laissa planer un silence, se baissa pour ramasser son fourreau lamé. Je m'aperçus qu'il l'enveloppait intégralement jusqu'au cou. Une fois qu'elle l'aurait de nouveau enfilé, on ne verrait plus les zébrures sur son dos. Tout était calculé. Le contact du tissu avec les marques devait certainement lui faire mal, mais je pense, je suis certaine même, que cela contribuait à son plaisir.

— Un malentendu, tu crois vraiment. Tu es donc si naïve ?

— Alors pourquoi ?

— Joséphine Simpson.

— Quel rapport ?

— Elle ne t'a pas parlé, ce soir ?

— Si, mais je ne vois pas le rapport.

J'avais de nouveau mal à la tête et, encore une fois, je me maudis d'avoir oublié mes Advil. J'entrevoyais le rapport, bien sûr, mais je ne voulais pas l'admettre, c'était irrationnel.

— Joséphine est quelqu'un de très... de très spécial, tu sais..., dit Jennifer Coye en enfilant la paire de ballerines qui traînait par terre.

— C'est-à-dire ?

Jennifer ne répondit pas directement à ma question. Elle regroupa d'abord ses cheveux de manière à les nouer en queue-de-cheval. Sa blondeur, à la lueur violette de la veilleuse au-dessus de la porte, virait vers une couleur étrange, presque extraterrestre, comme si Jennifer venait d'un autre monde ou d'un univers parallèle. Si je sais aujourd'hui de quel univers il s'agit, j'étais cette nuit-là en plein brouillard, tout en sentant les contours d'une étrange vérité se profiler à la frontière de ma conscience.

— Joséphine Simpson, reprit Jennifer, quel dommage qu'elle nous quitte ! Moi, c'est bon, je pars l'année prochaine dans une fac de la côte Ouest. En revanche, pour toi qui entres en terminale à la rentrée prochaine, qui te guidera? Ni moi ni elle. Cette chère Joséphine, elle a été appelée, comment dire, à de plus hautes responsabilités…

Sur le coup, un peu agacée, je ne relevais pas le côté ambigu de la phrase, le choix du verbe «guider», plutôt qu'«orienter», qui se serait mieux appliqué à son boulot de conseillère. Ou encore cette expression étrange, presque pompeuse, «de plus hautes responsabilités».

— Oui, mais quel est le rapport entre Joséphine Simpson, toi et moi? Je ne comprends toujours pas.

— C'est Joséphine qui m'avait demandé de t'inviter.

— Quoi?

Je ne relevais pas la façon qu'avait Jennifer d'appeler la conseillère par son prénom et non, comme tous les lycéens, par son surnom de Marge ou encore, tout banalement, par son nom. Jennifer répéta posément:

— C'est Joséphine qui m'avait demandé de t'inviter.

— Et pourquoi aurait-elle fait ça?

— Parce qu'elle avait détecté en toi certaines… dispositions et qu'elle voulait que je vérifie.

— Mais en quoi cela la regardait-elle?

— Va savoir, persifla Jennifer qui avait désormais retrouvé toute son allure et dont j'avais du mal à imaginer que je l'avais vue, quelques instants plus tôt, aux prises avec deux hommes qui la flagellaient, l'humiliaient, la prenaient. Elle s'intéresse peut-être beaucoup à toi, c'est une femme consciencieuse.

— Arrête de te moquer de moi, Jennifer… Pourquoi t'aurait-elle demandé de m'inviter? À toi, en plus, une élève de terminale. En admettant que je lui ai paru, ce qui n'est pas le cas, une élève isolée ou mal dans sa peau, elle aurait plutôt demandé à des gens de ma classe, ou à d'autres romantiques.

— Comme Sam Atkinson, par exemple?

J'eus la certitude un peu effrayante que Jennifer savait tout de ma vie, de mes pensées. Tout comme Mlle Simpson. Que quelque chose se tramait autour de moi sans que je sache si c'était pour mon bien ou pas. Si ça se trouve, Jennifer m'avait également vue sucer Sam Atkinson derrière le peuplier. Ou Mlle Simpson elle-même. J'en arrivais, dans cette obscurité, à essayer de me représenter les bâtiments du lycée en plein jour et à me demander si, par hasard, le bureau de la conseillère d'orientation n'offrait pas une vue imprenable sur le terrain de sport et ses alentours. Mais non, ce n'était pas possible.

— Elle n'a pas bien fait de me demander de t'inviter? Tu n'as pas eu quelques révélations sur toi-même à l'occasion de cette soirée? Tu ne crois pas que j'ai deviné, et même plus que deviné, ce que tu ressentais quand nous nous sommes mises à danser, quand tu as eu la sensation du cuir sous les mains, de mes hanches qui roulaient. Figure-toi que j'ai lu clair en toi. Joséphine avait raison à ton sujet. Appelle ça comme tu voudras, un don, mais nous sommes quelques-unes à avoir non seulement l'instinct de tout le plaisir que peut nous donner notre corps, mais aussi la capacité à repérer cette aptitude chez les autres, à visionner malgré nous leurs fantasmes. Les trois quarts sont d'une grande pauvreté, si tu savais. Il y a même des gens qui n'en ont pas du tout.

Je me suis un instant demandé si elle n'était pas une sorte de sorcière.

— Ne t'inquiète pas, dit Jennifer comme si, encore une fois, elle avait lu dans mes pensées. Je ne viens pas de Salem. Encore qu'il n'est pas impossible que celles à qui on a intenté cet horrible procès n'aient pas été des sorcières, mais des filles particulièrement intuitives qui devinaient les désirs les plus inavouables, les plus refoulés de tous ces puritains avec leurs bas blancs et leur grand chapeau noir. Non, c'est juste de l'intuition, de l'intuition très poussée. Joséphine a essayé de te le faire comprendre tout à l'heure. Tu as toi aussi cette… faculté. Comme moi. C'est à la fois une grande aptitude au plaisir sexuel, sous ses formes les plus élaborées, mais aussi celle d'anticiper les désirs de l'autre. Par exemple, je sais très bien, lors de cette soirée, que juste après notre danse tu es allée aux toilettes te masturber comme une petite folle. Ne nie pas, et ne me dis pas qu'il y avait un trou dans la porte des toilettes. Allez, on retourne dans la fournaise du bal?

Je ne savais plus quoi dire. Des sentiments contradictoires s'affrontaient en moi. D'un côté, j'avais l'impression de ne plus avoir le contrôle de ma destinée, presque d'être manipulée, de l'autre je sentais qu'une perspective formidable s'ouvrait devant moi, que je pourrais un jour explorer les limites de ce plaisir qui permettrait de découvrir le vrai sens de l'univers grâce à la magie du sexe. En même temps, cela m'effrayait. Mais peut-être qu'un homme, en me faisant perdre ma virginité, m'apaiserait enfin et ferait disparaître les fantasmes si *hard*, si chauds qui m'envahissaient depuis quelque temps.

Nous avons effectué, avec Jennifer, le chemin inverse. Nous sommes repassées par le terrain de sport où là encore, mais un peu moins nombreux, on voyait des couples s'entrelacer dans la pénombre, et se livrer à des caresses et des étreintes. Nous avons échangé un sourire complice.

Avant que nous ne gravissions les marches menant à la salle du bal, elle a posé sa main sur mon bras et m'a dit:

— Tu sais, ce don, il faut savoir le cultiver. C'est sans doute ce que t'a laissé entendre plus ou moins explicitement Joséphine. On dit que tu sors avec William Blake. Si tu as, comme je le pressens, prévu que la grande aventure soit pour ce soir, je ne suis pas sûre que ce sera une réussite.

Je faillis demander à Jennifer Coyle si elle ne voulait pas me prêter Jack ou M. Roberts, ou les deux. Je ne doutais pas que ce serait infiniment plus satisfaisant de rendre les honneurs, et par tous les moyens que permettaient les portes de mon corps, à cette merveilleuse et impressionnante queue noire pendant que le prof de géographie m'aurait lacéré les reins. Plus satisfaisant, en tout cas, que la probable et maladroite étreinte d'un William Blake aviné.

Encore une fois, comme si j'avais pensé à voix haute, Jennifer me regarda et me dit avec un sourire amical, presque bienveillant :

— Il ne faut pas laisser se perdre le don mais il ne faut pas non plus brûler les étapes. Ce que tu m'as vu faire, ce sera pour plus tard. Et j'ai promis à Jack et à Roberts le secret, comme ils me l'ont promis. Ce type de relation, d'entente, tu l'apprendras, repose sur le secret et la confiance mutuels. Toute cette pornographie étalée dans les magazines et les sex-shops est un moyen de cacher les vrais chemins du plaisir. Il faut laisser cette vulgarité commerciale, ces accessoires ridicules fabriqués en série à ceux qui vivent une sexualité triste, un peu misérable. Il y a d'autres voies pour le plaisir, qui satisferont davantage tes plus secrètes pulsions, qui te donneront l'accomplissement, la maîtrise de ton destin.

Finalement, le Prince ne me tiendrait pas, des années plus tard, un langage différent et, comme l'avaient fait

Joséphine Simpson et Jennifer Coyle, il se contenterait de me guider, de loin, sans même que je le sache, avant la révélation finale.

Il y avait, dans cette étrange soirée, la répétition générale d'une pièce de théâtre, celle que je joue aujourd'hui avec le Prince et les autres Initiés, mais aussi une ouverture d'opéra où s'inscrivaient tous les grands thèmes à venir.

Ce fut le moment que choisit Jennifer pour se pencher vers moi. Avec une incroyable dextérité, elle glissa sa main dans mon Tanga puis deux doigts dans mon sexe ouvert. Sa bouche, elle, déposa un baiser furtif sur mes lèvres, avant que sa langue petite, mobile, agile, ne s'agite au contact de la mienne. Sous l'effet de la double caresse et de la surprise qu'elle suscita en moi, je jouis instantanément.

Jennifer sentait l'amour et ce parfum lourd, animal, qui ressemblait à Dune. Je faillis lui demander s'il s'agissait bien de cette fragance, mais elle gravissait déjà les marches et s'engouffrait dans la salle du bal.

Je regardai les groupes de fumeurs : personne ne s'était aperçu de rien. Cela avait été aussi rapide qu'efficace. Je me retrouvais seule, toujours aussi désorientée, les jambes en coton. J'aurais eu mille questions à poser à Jennifer, mais je ne savais pas par où commencer et je pressentais que ce n'était ni le lieu, ni le moment. Alors autant partir à la recherche de ce bon William Blake.

J'entrai à mon tour dans la salle. Je ne devais pas revoir Jennifer Coyle lors de cette soirée. Et pas, non plus, avant de longues années. Il ne faut pas toutefois que j'anticipe alors que, devant mon écran, à raconter cette histoire qui est la mienne, je sens encore les doigts de Jennifer au cœur de mon intimité et sa langue se mêlant à la mienne.

12

Dans la salle du bal régnait l'atmosphère typique des fêtes qui arrivent à bout de souffle mais qui ne veulent pas l'admettre. Les danseurs étaient en sueur, on aurait dit des automates perdus dans un rêve scandé par la musique assourdissante que le DJ, un grand maigre avec des lunettes de soleil mauve qui lui dévoraient le visage, continuait à sampler. Les chaises et les banquettes étaient couvertes de garçons et de filles endormis et je vis, effondrés l'un sur l'autre, Mona Watson et Al Updike. Ils semblaient s'être réconciliés. À mon passage, Al souleva un œil morne, esquissa un petit signe de la main.

Je ne pus m'empêcher, mentalement, de sourire en comparant la taille de son sexe avec celui de Jack le vigile qui, non loin du DJ, discutait en hurlant avec un collègue qui penchait la tête vers lui en regardant sa montre. Tous deux devaient trouver le temps long et n'allaient certainement pas tarder à donner le signal de la fin, mission habituellement dévolue au personnel de sécurité. Il ne restait que des terminales et quelques élèves de première, dont moi qui cherchais en vain cet idiot de William.

Je me dirigeai vers le buffet qui ressemblait à un champ de ruines. Comme chaque année, le proviseur pondrait, à la rentrée, une note de service dans laquelle il déplorerait le manque de maturité des lycéens de son établissement. Il dirait tout le mal que le personnel de nettoyage avait eu pour rattraper les dégâts et il trouverait des périphrases habiles pour parler du nombre incalculable de préservatifs et de mégots de joints que l'on aurait trouvés aux alentours du terrain de sport et du parking.

Mon mal de tête paraissait vouloir s'estomper, mais j'avais incroyablement soif et il n'y avait plus, sur la table, que des cadavres de canettes de soda. Un garçon de terminale, qui n'avait plus sa veste de smoking et que je ne connaissais que de vue, m'aborda en titubant :

— T'es comme moi, tu crèves de soif. Attends, je vais voir ce que je peux faire avec la pompe à bière.

Les extra chargés du service avaient disparu depuis belle lurette. Il n'était pas question pour eux de faire des heures supplémentaires pour ces gamins d'un lycée de bourgeois. Je pouvais les comprendre, mais j'avais vraiment envie d'une bière fraîche.

— Ce serait gentil à toi. Dis, tu n'as pas vu William Blake ?

— Ton petit ami, oui, je crois bien…

Il s'interrompit, tentant, vu son état, une approche périlleuse du buffet. Il dut glisser sur un reste de cheese cake car il fit un surprenant roulé boulé et disparut de l'autre côté.

— Ouh, ouh, ça va ?

Je dus attendre quelques secondes avant qu'il ne réapparaisse, la chemise blanche maculée de chocolat et d'autres taches indéfinissables

— Oh, zut… Je suis désolé.

Il avait l'air un peu sonné, mais il se retourna tant bien que mal vers une pompe à bière après s'être saisi de deux gobelets douteux.

— Alors, tu as vu William?

Un grand sifflement se fit entendre et un jet de mousse vint l'éclabousser.

Le zut se transforma en un « merde! » retentissant.

— Oui, mais te dire quand et où, j'aurais bien du mal.

Décidément, cet idiot était inutile. Incapable de me renseigner et de me servir une bière. Le DJ, en plus, s'était lâché et passait un rap assourdissant qui, je le sentais, allait vite ressusciter mon mal de crâne.

Finalement, le garçon maladroit se tourna vers moi, un sourire bêta et triomphant aux lèvres, et me tendit dans un gobelet déjà marqué par du rouge à lèvres une bière avec un immense faux col.

— Madame est servie.

Je le remerciai, tournai le bord du gobelet à l'endroit où il me sembla le moins sale et je bus, en quelques gorgées, le liquide doré et frais qui me fit l'effet d'un don des dieux.

Le garçon ivre à la chemise tachée me regardait en souriant toujours aussi bêtement. Il aurait pu être séduisant s'il n'avait eu le regard voilé par l'alcool et un teint de brique qui lui promettait, s'il ne changeait pas de mode de vie, une crise cardiaque aux alentours de quarante-cinq ans derrière l'ordinateur d'un bureau en *open space* ou en préparant des saucisses pour sa famille, un 4 juillet ensoleillé, dans le jardin d'une maison de style néofédéral, quelque part dans une banlieue pour *upper middle class* du Massachusetts.

Pour l'instant, il avait dix-huit ans et il m'entreprenait d'une voix pâteuse, en bafouillant et postillonnant:

— Si ton petit co… copain, le super champion William Blake t'a oub… oubliée, moi je suis à ta disposition…

— Tu n'as pas de cavalière ?

— Je n'en ai plus, tu veux dire… Je crois qu'elle a vomi tout ce qu'elle avait et il a fallu lui appeler un taxi. Je crois bien que je vais être obligé de me la mettre sous le bras… À moins que tu…

Charmant. Vraiment charmant.

Voilà ce que je détestais par-dessus tout, cette lourdeur des mecs avinés, cette infâme vulgarité qui est de tous les milieux. Et je me mis à souhaiter, de toute mes forces, que le scénario que j'avais imaginé pour lui se réalise. J'avais entrevu depuis quelques semaines les perspectives que pouvait offrir le sexe, et je pressentais que c'étaient des types comme lui qui transformaient cette formidable aventure en une gaudriole écœurante, entrecoupée de rires gras.

À l'heure où j'écris cette histoire, il se trouve que j'ai appris, en consultant le bulletin semestriel de l'amicale des anciens élèves du lycée, que ce garçon, Jimmy Saville, est mort il y a quelques mois. Il était chargé de clientèle pour une banque de Concord, dans le Massachusetts. La photo le montrait devant une maison de style néofédéral avec une femme à l'air revêche et deux petites filles qui tenaient plus d'elle que de lui. Lui n'avait guère changé, si on excepte qu'il devait peser au bas mot cent trente kilos. Détail troublant, sa notice nécrologique indiquait qu'il était mort un 4 juillet alors qu'il s'occupait d'un barbecue.

J'ai évidemment repensé à ce soir de bal et aux révélations ambiguës de Mlle Simpson et Jennifer Coyle. Le don. Mais je crois qu'il ne s'applique qu'aux activités des Initiés, certainement pas à autre chose. Comme le disait Jennifer, nous ne sommes pas les sorcières de Salem, juste des intuitives, au corps qui fonctionne comme un radar, avec une sorte de deuxième clitoris dans le cerveau.

Je tournai donc le dos au rubicond Saville et, enfin, je vis arriver William. Il ne paraissait pas vraiment dans un meilleur état, mais au moins ne s'était-il pas taché et son teint n'était pas cramoisi. Il m'embrassa goulûment:

— Je me demandais où t'étais passée, baby…

Son haleine ne laissait heureusement transparaître qu'une légère odeur d'alcool. Il avait dû s'enfiler une sacrée quantité de pastilles Xyla au peppermint.

— Moi aussi, William, à vrai dire.

— Oh, excuse-moi… Tu es peut-être fatiguée. Si tu veux, on y va…

J'ai senti mon ventre se serrer à la perspective de ce que cela supposait. Ce ne serait certainement pas aussi chaud, sensuel et délicieusement pervers que la scène à laquelle j'avais assisté, mais au moins j'aurais passé cette ligne qui ferait de moi une femme.

Je pris à mon tour l'initiative d'un baiser brûlant en me haussant sur la pointe des pieds et, du coin de l'œil, la mine dépitée de Saville m'a réjouie.

Nous avons rejoint la sortie. William marchait avec cette raideur un peu exagérée de ceux qui ont un fort taux d'alcoolémie dans le sang et cherchent à le cacher.

Dehors, le silence relatif et la fraîcheur de l'air qui annonçait l'aube me firent un bien fou. Nous nous sommes dirigés d'un pas titubant, enfin lui surtout, vers le parking des élèves. Dans notre dos, le son du rap s'estompait, ne se résumant plus qu'à quelques vibrations. Sur le parking, il y avait plus guère qu'une dizaine de voitures. J'en vis au moins trois qui bougeaient selon un rythme régulier, signifiant que des couples s'activaient à l'intérieur.

William s'arrêta un instant et contempla le spectacle d'un sourire béat et, il faut bien le dire, un peu idiot.

— Ils doivent se donner du bon temps, tu ne crois pas?

Sa belle silhouette bien découplée m'énerva alors prodigieusement. Le pire scénario que j'avais imaginé pour mon dépucelage semblait prendre forme. Le siège arrière d'une voiture, en l'occurrence une Honda Civic. Je grimaçai.

— Je n'ai pas tellement envie, William…

— De faire l'amour? demanda-t-il alors qu'il cherchait les clés de sa voiture dans le fond des poches de son pantalon de smoking, toujours en vacillant.

— Ce n'est pas ça, mais dans cette voiture…

— Qu'est-ce que tu lui reproches, à ma voiture? C'était celle de mon frère, il est infirmier dans le New Jersey, tu sais.

— Tu me l'as déjà dit, William, et je ne vois pas en quoi le fait qu'elle appartienne à ton frère infirmier dans le New Jersey lui confère une dignité ou même un confort particuliers.

Je vis son front se plisser et je compris que mes propos étaient pour le moins hermétiques.

— Tu veux pas baiser, quoi…

— Mais non…

Autour de nous, les autres voitures continuaient à tanguer et on entendait parfois des gémissements. Je ne savais plus où j'en étais. J'avais à la fois envie qu'un corps lourd et musclé comme celui de William s'écrase sur moi et me prenne avec brutalité. Même si, pour le coup, j'aurais préféré celui de Jack le vigile noir ou de l'officier de police Blisko tel qu'il m'était apparu quand j'avais treize ans plutôt que celui d'un lycéen de termi-nale, saoul et probablement maladroit. Non, là, pour être honnête, il était loin mon fantasme de l'écrivain dans une auberge du Connecticut : j'avais envie de sentir enfin en moi un sexe masculin, une vraie queue qui ne me fasse pas de cadeau, qui me laboure avec énergie.

Mais quand même, une voiture…

— William, tu n'aurais pas une chambre à ta disposition, quelque part, chez toi ou chez un pote ?

Il eut l'air désespéré. Je tendis ma main vers lui dans la semi-obscurité. Mon geste imprécis heurta son entrejambe. Il n'était pas seulement désespéré, le grand William, il bandait comme un cerf et je saluai mentalement l'exploit, vu ce qu'il avait dû ingurgiter comme alcool et autres substances au cours de la soirée.

— Mais enfin, dit-il, tu as bien vu en venant que ma voiture, je l'ai nettoyée. Il n'y a plus de cartons de pizzas ou de trucs de ce genre. Il doit même rester du whisky dans la boîte à gants. Et puis, à toi, la romantique, ça devrait te plaire. C'est une Honda Civic Hatchback 1985, une marque européenne…

— Je ne crois pas, William, que Honda soit une marque européenne…

— Tu es certaine…

— Oui, c'est japonais…

— Tu crois vraiment ? Tiens donc, j'aurais pourtant juré… Il n'empêche qu'elle est toute propre.

Je décidai de changer d'angle.

— Je sais qu'elle est toute propre, William. Ce n'est pas le problème. Mais elle n'a que deux portes et, vraiment, je ne suis pas comme Mona Watson et ses copines. C'est juste que j'ai aussi envie de toi que tu as envie de moi, mais que je ne voudrais pas que ça se passe dans une voiture où tu n'aurais même pas le plaisir de retirer ma petite robe noire pour prendre ce que j'ai à t'offrir.

— OK, dit-il comme à regret. OK. On peut aller chez moi, enfin chez mes parents. C'est un peu loin, à l'autre bout de Brookside dans le quartier de Prospect Heights. On pourra rentrer par-derrière.

Nous sommes montés en voiture et il a eu un peu de mal à introduire la clé dans le démarreur.

— Tu as intérêt à être prudent, William !

— T'inquiète.

Nous sommes sortis du parking à petite vitesse et nous avons roulé vers Prospect Heights mais, au bout d'une demi-heure, je voyais bien que William ne savait plus trop où il était. Il tournait en rond dans un quartier indéfinissable où des silhouettes louches trafiquaient on ne sait quoi sous les escaliers de secours et où les véhicules étaient rares.

Évidemment, il n'avait pas de plan de la ville dans la boîte à gants. Une boîte à gants qui me fit comprendre en quoi avait consisté son prétendu ménage : il y avait juste fourré les cartons de pizzas, les paquets de chewing-gums et les emballages de hamburgers.

— T'inquiète, répéta-t-il, dès que j'aurais retrouvé un grand axe, ce sera bon. Verrazano, par exemple…

Il conduisait de manière de plus en plus hésitante. Et ce qui devait arriver arriva.

Les lumières d'une voiture de police apparurent dans le rétroviseur. Elle déclencha brièvement sa sirène, ce qui fit fuir autour de nous des silhouettes que nous n'avions pas vues jusque-là et qui disparurent dans des passages insoupçonnables entre deux blocs. Ensuite, la voiture de police remonta à notre hauteur. Elle nous força à ralentir et à nous arrêter en nous doublant, puis en nous coinçant contre le trottoir.

Il y eut un bref moment d'attente, qui me sembla une éternité. William était devenu blême, et même verdâtre, à la lumière de la veilleuse et j'espérais qu'il n'allait pas se mettre à vomir.

Enfin, la portière de la patrouilleuse s'ouvrit et la silhouette massive d'un policier apparut à contre-jour dans le halo du gyrophare. Je crois que je la reconnus immédiatement, cette silhouette, avant même qu'elle ne s'approche lentement de notre voiture.

Je ne l'avais pourtant vue qu'une fois, l'année de mes treize ans, quand elle était venue chez mes parents après le cambriolage. Les années suivantes, je ne l'avais revue que dans mes fantasmes, lors de mon entretien avec Joséphine Simpson ou bien quand j'avais rêvé d'une intervention disons très… chaude de sa part alors que nous étions bloqués sur le pont Roosevelt – avec William, déjà.

Cette fois-ci, c'était bien réel. Le policier qui avançait vers nous, plus large et plus grand que dans mon souvenir, était bel et bien l'officier de police Blisko.

13

Il avançait vers la Honda Civic avec une lenteur calculée. Au fur et à mesure de son approche, les détails se précisaient. Il ne portait plus des boots de neige mais des bottes qui montaient haut, presque jusqu'en dessous des genoux. Le pantalon bleu était toujours aussi moulant et ses attributs masculins formaient une masse plus sombre au niveau de l'entrejambe. Le ceinturon faisait scintiller par intermittence cet équipement qui m'avait tant troublée. L'arme de service, les menottes, l'étui de la cartouchière, celui de la bombe lacrymogène, du talkie-walkie qui grésillait et, bien sûr, tel un sexe surnuméraire et monstrueux, la matraque noire qui pendait sur sa cuisse.

Au-dessus de la ceinture, et sans doute était-ce là la tenue d'été de la police de la ville, sa chemise bleu marine avait les manches soigneusement retroussées au-dessus du coude et ses avant-bras en ressortaient encore plus musclés.

William, à côté de moi, tremblait littéralement et marmonnait une cascade de jurons pour masquer son angoisse. Je sentais mon athlète à la limite des larmes. Pour ma part, je n'étais pas inquiète. J'étais bien un peu frustrée en comprenant que ce ne serait certainement pas ce soir que je perdrais ma virginité, mais voir se matérialiser l'homme qui avait provoqué un tel trouble dans mon imaginaire érotique m'incitait plutôt à la curiosité et aussi, il faut bien le reconnaître, m'excitait.

Je revis, par flashs, Jennifer Coyle honorant l'immense queue de Jack pendant que le professeur de géographie lui lacérait le dos et les fesses avec une branche d'arbre fine et cinglante.

Mais, déjà, Blisko était à notre niveau. Il tapota la vitre de William et lui fit signe de la descendre. La scène que j'avais imaginée sur le pont Roosevelt, où il forçait William à lui administrer une fellation, me revint à l'esprit et j'eus presque envie de rire. Finalement, peut-être les choses allaient-elles se régler de cette manière. Ou mieux. Peut-être allait-il me le demander à moi ?

William appuya sur le bouton d'ouverture de la vitre :

— Bonne nuit, jeunes gens…

La voix était métallique, le regard dur sous la casquette où luisait l'insigne. C'était la voix d'un homme habitué à la violence de la grande ville, à cette violence qui ne cessait jamais et prenait les formes les plus inimaginables et les plus cruelles. Sa main, d'ailleurs, restait à proximité de son holster, dont il avait retiré la courroie.

Je vis aussi de nouveaux chevrons sur ses manches. Il avait pris du galon en quatre ans.

— Je peux savoir ce que vous faites dans ce quartier à cette heure ? Je vous suis depuis un moment, vous m'avez l'air perdu. Je peux peut-être vous aider ?

— Euh, mer… merci monsieur l'officier mais ça va aller, balbutia William, de plus en plus verdâtre.

— Je ne crois pas que ça va aller, comme vous dites, jeune homme. L'habitacle de votre voiture sent terriblement l'alcool. Vous revenez d'un bal de fin d'année, je parie ?

William déglutit douloureusement et ne parvint qu'à sortir un «oui» suraigu tout à fait ridicule.

— Quel lycée?

Je pris le relais.

— Mason, près de Butterwalk, dans Brookside Est. Nous allions à Prospect Heights...

— Merci, mademoiselle, mais c'est au chauffeur que je m'adresse. En tout état de cause, vous n'êtes pas sur le bon chemin. Ça plus l'odeur d'alcool qui flotte dans cet habitacle, j'ai de bonnes raisons pour croire que vous n'êtes pas en état de conduire, jeune homme. Je vais donc vous demander de sortir votre permis, vous aussi, mademoiselle. Et de vous exécuter très lentement parce qu'il est tard et que je suis nerveux.

Maintenant, William tremblait. Il tendit la carte plastifiée au policier.

— Et celle de la demoiselle.

— Je n'en ai pas, dis-je en me penchant.

— Vous n'avez pas de permis de conduire?

— Eh bien, non...

— Une pièce d'identité?

— Ma carte de lycée.

— Ce n'est pas valable. En plus, vous ne devez pas être au courant de la nouvelle loi municipale. Le passager d'un véhicule dont le chauffeur serait ivre doit pouvoir reprendre en main le véhicule. Sinon, nous l'immobilisons et les deux sont en état d'arrestation.

— Je n'ai jamais entendu parler de ça, c'est du grand n'importe quoi! dis-je.

J'avais pris un ton volontairement provocateur. Un démon en moi espérait que la situation s'envenime. Je n'avais pas peur. J'étais juste énervée, excitée, je le sentais bien. Tout me semblait propice à la réalisation enfin concrète d'un de ces scénarios qui me hantaient depuis quelque temps. Le flic sadique, les lycéens désemparés, la nuit dans la grande ville et personne pour nous secourir. Je sentais à nouveau que je mouillais sous ma petite robe noire.

Blisko eut un rire atone et son regard se durcit encore.

— Ah, vous le prenez comme ça… Jeune homme… (Il regarda rapidement le permis avec sa torche lumineuse.) Pardon, monsieur William Blake, veuillez me donner les clés de votre véhicule. Mademoiselle, une fois qu'il sera sorti, vous sortirez également, mais de son côté, en vous glissant sur son siège, c'est bien compris?

William s'exécuta et Blisko lui appliqua sa matraque sur la pomme d'Adam.

— Si ce n'est pas malheureux de voir un beau jeune homme sportif comme toi s'alcooliser de la sorte. Et puis il y a tes yeux rougis. Je suis sûr que tu as fumé de l'herbe cette nuit.

Le talkie-walkie grésilla:

— Terminal 87 à véhicule 12, ça va?

Tout en maintenant sa matraque sur la gorge de William, Blisko rangea sa torche lumineuse dans son étui et se saisit de son talkie-walkie.

— Véhicule 12 à terminal 87, tout va bien. Rien à signaler. Ma patrouille se termine à cinq zéro zéro.

— Tu repasses par le poste de la 13e Rue ou tu rentres directement chez toi? crachota la voix dans le talkie-walkie.

— Je ne sais pas encore.

— Pas de problème, mon vieux, la nuit est calme. Les cellules sont vides. Tu pourrais ramener une copine!

Un rire gras sortit alors du talkie-walkie.

— Merci du tuyau, vieux. Over! coupa Blisko.

— Bonne fin de patrouille! Over!

Je commençai à mon tour à m'extraire du véhicule et je vis que Blisko se rinçait l'œil sur ma petite culotte. Bien décidée à le provoquer, j'exagérai mes difficultés à m'extirper et j'écartai largement les cuisses en passant au-dessus du levier de vitesse, dont la forme phalloïde effleura la soie noire de mon Tanga La Perla, un peu comme si j'avais voulu m'empaler sur ce sexe mécanique.

Le sourire de Blisko fut étrange, comme s'il savait à quoi je jouais et qu'il n'était pas surpris.

J'en fus étonnée.

Normalement, il aurait dû être énervé par une gamine jouant à l'allumeuse alors que la réaction normale lors d'un incident de ce genre, de la part des jeunes, c'était plutôt une panique larmoyante. À l'image de William, toujours les reins plaqués au moteur de la Honda, forcé de se pencher douloureusement en arrière à cause de la pression de la matraque de Blisko sur sa pomme d'Adam.

Mais non, le policier assistait à mon petit jeu presque en amateur habitué et amusé.

— Tous les deux, vous allez marcher jusqu'au mur qui est là. Vous allez plaquer vos mains en hauteur, vous reculer au maximum et écarter les jambes. Je suis sûr que des petits malins comme vous regardent des séries à la télé. Et que je n'ai pas besoin d'expliquer.

On en regardait effectivement, des séries à la télé, mais on ne pouvait pas deviner à quel point la position était inconfortable et humiliante c'est-à-dire, en ce qui me concernait, au bout d'un certain temps, absolument délicieuse car elle mêlait ce qui déjà provoquait en moi le plaisir : un mélange de soumission et de souffrance…

D'autant plus que Blisko semblait vouloir le faire durer, le plaisir. Il ne disait plus rien. On ne pouvait pas le voir, mais lui devait avoir un point de vue privilégié sur nos postérieurs et nos corps en position d'offrande quasi sexuelle.

Ce qui rajoutait à l'étrangeté de la situation, c'était le calme de cette rue. On n'apercevait plus personne, on n'entendait qu'une rumeur très étouffée et, parfois, le miaulement d'un chat ou une bouteille vide qui roulait.

La scène était éclairée par la lumière pauvre de quelques lampes au sodium, dont une sur deux ne fonctionnait plus, et par la lueur tour à tour rougeâtre et bleutée du gyrophare de la patrouilleuse.

— Vous attendez quoi, à la fin ! m'exclamai-je alors que William, à côté, tourna le visage vers moi et m'enjoignit, en articulant exagérément et muettement, de la fermer.

— Je regarde les jolis culs de deux petits tourtereaux qui s'apprêtaient sans doute à aller baiser. Quoique, vu l'état du petit copain, je doute que tu aies pu espérer grand-chose de lui, ma petite.

— En tout cas, avant que vous ne nous arrêtiez, il bandait, pour tout vous dire.

Le silence revint dans notre dos. William ferma les yeux dans une mine désespérée, persuadé que j'aggravais notre cas. Et, de fait, j'aggravais la situation.

— Tu as la langue bien pendue, jeune fille. J'espère que tu sais t'en servir pour d'autres choses plus agréables que tu prodigues aux garçons... Ou aux filles !

Il se mit à rire. Toujours le même. Métallique. Glacial. Mais également amusé. Un bref instant, William, à ma grande surprise, fit preuve d'un certain courage :

— Vous n'avez pas à nous parler comme ça, monsieur. Ou vous nous arrêtez et vous nous lisez nos droits, ou vous nous laissez partir.

Un nouveau silence, puis la voix dans notre dos, plus proche :

— Je peux aussi appeler le central qui appellera vos parents, monsieur Blake. Et vous ramener au 87ᵉ. Un inspecteur leur notifiera votre détention pour conduite en état d'ivresse, consommation de drogue et, avec un peu de chance, détournement de mineure. Tout dépend de la manière dont je vais présenter mon rapport, vous comprenez, monsieur Blake ? Et de la rapidité de vos parents à trouver un avocat et à réunir une caution avant le procès. *Comprendo*, Blake ? C'est ce que vous voulez ?

— Non, s'il vous plaît, non…

William s'était mis à pleurer et je m'aperçus que ses larmes m'excitaient plutôt. Comme m'exciteront des années plus tard, lors de cérémonies avec le Prince, ces visages, dont le mien, déformés par la peur, l'angoisse mais aussi par le plaisir, bien entendu.

— Alors je vais suivre la procédure, monsieur Blake. Ou plutôt ma procédure…, a annoncé Blisko.

Il y a eu un nouveau silence. On entendait juste un cliquètement provenant du gyrophare à chacune de ses rotations.

— Je vais commencer par une fouille au corps. Qui sait ce que vous pouvez cacher sur vous ?

Dans le coin de mon champ de vision, je l'ai vu qui s'approchait de William. Il me sembla, à la faveur de la lumière du gyrophare, voir un sourire sardonique se peindre sur le visage de Blisko.

Fascinée, j'assistais à une fouille qui s'apparentait davantage à un rapport sexuel simulé. Je m'étais toujours interrogée sur ce que pouvaient faire les garçons entre eux. En ces années 1990, et malgré le sida, pas mal de types du lycée se revendiquaient gays. Pas autant qu'aujourd'hui mais suffisamment pour que l'on s'interroge, nous les filles, sur ce qui était un continent inconnu. Jusqu'où allaient-ils? Y avait-il des rôles prédéterminés? Enfin ce genre de questions que de jeunes lycéennes débordant d'hormones peuvent se poser pour peu qu'elles soient curieuses.

Je ne savais pas, à l'époque, si l'officier de police Blisko était gay, ou bi, ou quoi que ce fût de cet ordre. Il n'empêche qu'il me donna une leçon surprenante. Ce spectacle, même mimé, était diablement excitant. Je me demande s'il n'avait pas compris que cela me mettrait dans tous mes états et que, quand viendrait mon tour, ce serait encore plus troublant car j'aurais été au préalable chauffée.

Pour commencer, Blisko, d'un coup de botte, força William à écarter encore davantage les jambes, ce qui faillit lui faire perdre l'équilibre. Puis, lentement, il entama des palpations sans doute bien éloignées du code de procédure policière. Il appliqua ses mains au niveau du torse de William et s'y attarda longtemps, lui massant littéralement la poitrine.

— Dis donc, mon garçon, tu as de bien jolis pectoraux... Tu fais du sport, non?

William fermait les yeux de toutes ses forces comme si cela lui avait permis d'échapper au cauchemar éveillé qu'il vivait.

— Réponds, quand un policier t'interroge!

William poussa un cri de douleur quand Blisko lui pinça un téton.

— Réponds... Tu sais que je pourrais te le tordre jusqu'au sang? C'est ce que tu veux?

— Non...

— On dit: «Non, monsieur l'officier de police», mon garçon!

— Non, monsieur l'officier de police…

— Alors, tu fais du sport?

— Du base-ball, monsieur l'officier de police…

— C'est vrai, tu es du lycée Mason, n'est-ce pas? Bonne équipe. Tu vas jouer dans une fac l'année prochaine?

— Oui, monsieur l'officier de police. Dans l'Indiana…

— Dans l'Indiana… Voyez-vous ça. Tu sais qu'ils aiment les garçons avec de beaux pecs dans l'Indiana. Il va falloir m'entretenir tout ça, mon garçon, dit-il en malaxant de plus belle les pectoraux de William.

À un moment, je me demandai si Blisko ne bandait pas, mais j'aurais dû tourner la tête de façon trop visible pour me livrer à ce genre de constatation. En tout cas, sa voix ne changeait pas de timbre. On n'y décernait pas la moindre excitation, ce qui d'une certaine manière était encore plus inquiétant, plus inhumain.

Il descendit ensuite sur l'abdomen. J'entendis un craquement de tissu et je compris que Blisko avait arraché la chemise du smoking et caressait la peau du ventre de William. J'avais beau me battre contre cette sensation, j'éprouvais une véritable frustration à ne pas être à la place de William, complètement à la merci du flic à la voix métallique.

William, lui, fermait les yeux et serrait la bouche, de plus en plus fort. De grosses larmes coulaient le long de ses joues, dans lesquelles se reflétait étrangement le gyrophare, lui donnant l'air d'un clown triste mal démaquillé.

Blisko arriva à l'entrejambe.

— Beau matériel, garçon. Tu vas faire des heureuses ou des heureux. Mais pas ce soir, je le crains.

Et sa main quitta l'entrejambe pour remonter presque sensuellement le long des fesses musclées de William.

— Il ne va pas falloir me gâcher ce beau cul par une mauvaise alimentation quand tu seras tout seul dans ta fac de l'Indiana. Oh, ne proteste pas, William, on sait ce que c'est, les pizzas entre copains en regardant les matchs. On se laisse vite aller. Baisse ton pantalon, mon garçon…

— Je vous en prie…

— Je vous en prie, monsieur l'officier de police. Tu as déjà oublié?

— Je vous en prie, monsieur l'officier de police.

Une voiture, une vieille Transam, arriva au bout de la rue. Je vis, à une certaine tension de son corps, à ses doigts qui se crispèrent sur le mur de brique, que William reprenait espoir. Une voiture! Enfin! Qui sait s'il n'allait pas être sauvé?

Quand la vieille Transam vit la voiture de police immobilisée, bloquant la Honda Civic et deux personnes tenues en respect par un flic genre armoire à glace, elle effectua un demi-tour et s'éloigna de notre champ de vision en faisant crisser ses pneus sur l'asphalte.

— Ne rêvez pas, mes agneaux, dit Blisko. Les gens, surtout dans ce quartier, s'arrêtent rarement pour donner un coup de main à la police, et encore moins pour leur demander des comptes sur la légalité d'une arrestation.

Il eut son habituel petit rire. Puis il reprit:

— Je suis désolé, William, mais il faut que tu baisses ton pantalon. Je vais être obligé de procéder à une fouille rectale.

Il sortit un gant en latex de sa poche et l'enfila dans un claquement sec qui résonna démesurément dans la rue déserte.

— Tu comprends, William. Qu'est-ce qui me prouve que tu ne caches pas de la drogue dans ton rectum?

Quand tu as vu mon gyrophare dans ton rétroviseur, tu as peut-être demandé à ta copine de te fourrer la drogue là, vite fait bien fait. Peut-être même que ça fait partie de vos jeux sexuels de petits coquins.

Alors qu'il tenait ces propos salaces, sa voix restait toujours égale, monocorde, tout comme son visage qui gardait la même impassibilité.

— Allez, redresse-toi, et baisse ton froc... C'est bien. Et maintenant, courbe-toi...

Stupéfaite, je vis Blisko y aller de tout son cœur en fouaillant l'intimité de William. À la fois, je trouvais ce spectacle profondément repoussant et, plus que troublée, je me demandais si j'allais, moi aussi, subir le même sort.

William gémit de surprise indignée et de honte et, quand je croisai son regard, j'y vis un mélange d'humiliation, de douleur et de haine. Je compris qu'il m'en voulait davantage à moi d'avoir été le témoin, même involontaire, de ce presque viol qu'à Blisko lui-même, qui en était pourtant le premier responsable.

— Redresse-toi, beau gosse, dit Blisko en retirant le gant et en le jetant dans le caniveau. Tu es vierge côté came. Si je puis dire...

Et encore ce rire mécanique.

— Remonte ton pantalon et reprends ta position initiale contre le mur. Maintenant, à vous, mademoiselle...

J'eus presque un étourdissement quand il commença à me palper, s'attardant longuement sur mes seins dont les mamelons s'érigèrent malgré moi.

Comme William, je fermai les yeux et je serrai les lèvres de toutes mes forces, mais ce n'était pas pour m'efforcer de m'abstraire de cette scène, de refouler l'humiliation. Non, au contraire, j'essayais de calmer la vague orgasmique qui montait au contact de ces grandes mains dont on sentait qu'elles auraient pu faire mal ou même tuer sans hésiter et qui, pour l'heure, s'attardaient presque voluptueusement sur mes rondeurs. Blisko, dont je sentais le souffle légèrement mentholé à mon oreille, les laissait descendre avec une infinie lenteur le long de mes hanches puis de mes jambes.

Je faillis hurler de frustration. Il ne s'était même pas arrêté au niveau de mon sexe : il devait vraiment être gay ! Et puis il remonta et j'en éprouvais un indigne soulagement : ce n'était pas fini ! Il retroussa ensuite ma petite robe noire sur ma taille. Malgré l'inconfort de ma position et les fourmis qui commençaient à envahir mes bras tendus contre le mur, me sentir ainsi dévoilée par Blisko provoqua un premier orgasme que j'essayai de rendre le moins visible possible en me mordant les lèvres jusqu'au sang.

Le policier glissa ensuite sa main entre mes cuisses, par-derrière. Il ne pouvait pas ne pas se rendre compte que mon Tanga était trempé. Il ne fit pourtant aucune remarque, se contentant de dire :

— Si ça se trouve, c'est toi qui caches de la came dans ton minou ou ton petit cul. Il va falloir te soumettre à la même petite cérémonie que ton copain. À moins que tu ne veuilles le faire toi-même, devant moi. Je n'ai plus de gant, figure-toi. Allez, dépêche-toi !

Je me redressai, me tournai vers lui et, malgré l'engourdissement de mes jambes, je retirai mon Tanga trempé en le regardant droit dans les yeux, par défi, et le lui tendis tel un cadeau.

Une lueur étrange passa dans son regard. La même que j'avais entrevue, me sembla-t-il, tout à l'heure dans les yeux de Joséphine Simpson.

— Je te connais, jeune fille ?

Je n'eus pas le temps de lui répondre.

— Tu t'appelles Graham, c'est ça ? Je suis intervenu pour un petit cambriolage chez tes parents. Il y a quoi, trois ou quatre ans ? Je t'avais déjà remarquée, tu sais ?

J'étais stupéfaite par son incroyable mémoire.

— Vous m'aviez remarquée pour quoi ?

— Ne rêve pas. Pas parce que tu étais particulièrement jolie. Tu avais même un appareil dentaire, je crois bien…

— C'est parce que vous aviez pressenti que j'avais le don, alors ?

J'avais lancé ça un peu au hasard, encore sous le coup des événements étranges qui s'étaient succédé au cours de la soirée.

Pour la première fois, Blisko parut déstabilisé. Cela ne dura qu'un bref instant mais, sur son visage, se peignit un doute ou même une légère inquiétude. Il repassa au vouvoiement :

— Je ne comprends rien à ce que vous dites, mademoiselle !

Comme pour me punir, il me prit violemment par les épaules, me retourna, me poussa dans le dos pour que je me cambre et m'enfonça deux doigts dans le sexe. Lubrifiés par ma cyprine, ils pénétrèrent ensuite mon anus.

La rapidité extrême de cet acte, la succession inédite de ces deux pénétrations et le fait que cela se passe sous l'œil d'un tiers provoquèrent un nouvel orgasme que, cette fois-ci, je ne pus réprimer. J'essayai de faire passer mon cri pour un cri d'indignation, mais je crois que ni Blisko ni William ne furent dupes.

Ensuite, tout alla assez vite.

Blisko nous ordonna de nous rajuster. William avait l'air crevé mais beaucoup moins ivre. Ses mâchoires crispées et les regards qu'il me jetait suffirent à me renseigner sur son état d'esprit : colère, frustration, rancune. Blisko ordonna à William de remonter dans la Honda Civic.

— Vous et moi, on se reverra sans doute, me dit-il d'un air impénétrable alors que je m'apprêtais à grimper dans la voiture dont le moteur tournait déjà.

Ce n'était pas un avertissement comme on en donne à de jeunes délinquants, plutôt une manière de rendez-vous, aussi flou et mystérieux que les propos de Joséphine Simpson et de Jennifer Coyle.

Dans la voiture, William fut glacial. Je le comprenais. Je l'avais vu se faire humilier de la pire manière qui soit pour un garçon. Bien qu'il ne prononçât pas un mot, je pouvais deviner sans aucune difficulté les pensées qui agitaient sa pauvre tête. Pourquoi avais-je provoqué Blisko en faisant mine de vouloir résister ? Si je connaissais ce flic, n'y avait-il pas moyen que l'on porte plainte pour les sévices qu'il nous avait fait subir ? Mais, ne risquait-on pas alors une forme de scandale car le flic se défendrait et ce serait parole contre parole ? Et ce scandale ne risquait-il pas de compromettre son admission dans sa fac de l'Indiana ?

Le jour se levait enfin sur la ville et sur Brookside Est. William me déposa chez moi. Quand il s'arrêta devant la petite maison de mes parents, il se contenta de dire, comme s'il avait mûrement réfléchi :

— Je ne veux plus entendre parler de cette histoire, ni de toi.

— D'accord, William.

J'effleurai juste sa joue sur laquelle pointait une barbe naissante mais il se déroba.

Je sortis de la voiture.

Je ne revis jamais William qui connut, par la suite, une carrière sportive très moyenne.

DEUXIÈME PARTIE

14

Je me prénomme Alice.

Ou du moins est-ce ainsi que j'ai envie que l'on m'appelle.

Depuis que j'ai commencé à raconter mon histoire, je n'ai pas donné le nom de la ville où j'habite – même s'il est transparent. Tout juste ai-je laissé échapper un nom de famille, Graham, celui de mes parents.

Mais lui aussi est inventé…

Je ne dévoilerai pas ma véritable identité.

Non par pudeur ou par honte – elles sont depuis longtemps surmontées, même si le chemin fut long –, mais parce qu'il me faut préserver le secret.

Le secret est le fondement même de l'Initiation, et le Prince est intransigeant sur ce point.

Néanmoins, je m'appelle Alice – quoique Lysa m'irait bien…

Alice Chandler, née Graham.

Chandler est le nom de mon mari Gene.

Mais n'anticipons pas…

Si j'écris aujourd'hui mon histoire, c'est pour achever le travail d'analyse entamé avec Bill Reich, mon psychanalyste, pour que la compréhension de moi-même soit totale, mais aussi, qui sait, pour servir à mon tour de guide à la femme qui s'ennuie et perçoit l'incomplétude de sa vie. Elles sont si nombreuses, en Amérique ou ailleurs, qui se sentent soudain en proie à un étrange démon : celui de la recherche du plaisir dans des jeux de domination et de soumission.

Parfois, souvent même, il ne s'agit que d'un goût passager, un désir de pimenter une sexualité un peu triste. Mais d'autres s'aperçoivent que ces jeux, précisément, n'en sont pas et font écho à une sorte de don, d'étrange pouvoir, qui leur permet d'appréhender le monde, les hommes et les événements de manière différente.

Ce don leur permet d'imaginer les scénarios érotiques les plus fous, les plus osés, les plus dévastateurs, les plus pervers, les plus délicieux... Il leur permet aussi de visualiser les fantasmes de ceux qui le possèdent également. Mais, à l'inverse, de se révéler transparents pour les autres Initiés.

On peut hélas passer toute son existence avec ce don et ne jamais le faire fructifier. J'ai eu la chance, je ne le cache pas, de croiser très tôt des personnes qui m'ont révélée à moi-même ou, tout au moins, m'ont laissé soupçonner que je possédais des aptitudes particulières.

Quand mes parents, ma mère en particulier, me racontaient leur jeunesse hippie, eux aussi parlaient d'ouvrir de nouvelles portes de la perception. Ils pensaient que chaque individu détenait en lui d'incroyables pouvoirs qui lui permettaient de voir au-delà des apparences et d'accéder à d'autres formes de conscience.

Seul problème, ils pensaient que le meilleur moyen d'y parvenir était de prendre certaines drogues, comme le LSD. Moi, je sais que la drogue ne sert à rien, qu'elle n'est qu'un paradis artificiel. Bien sûr, du temps de papa et maman, certains avaient effectivement des visions psychédéliques. Ils voyageaient dans un monde merveilleux peuplé de formes délirantes entre lesquelles ils planaient. Et, quand ils faisaient l'amour sur une chanson des Pink Floyd, ils entraient en fusion avec leur partenaire mais aussi avec l'univers. «On se retrouvait comme dans un bain chaud et multicolore», me confia maman, il y a quelques années. Elle ajouta aussitôt: «Pour certains, ce fut une catastrophe et ils ne revinrent jamais. On a arrêté très vite, ton père et moi.»

Je sais pourtant, depuis la mort de papa, qu'elle regrette de plus en plus cette grande période de liberté, cette époque mythique du «Flower Power». Elle est nostalgique, oui, mais je devine sans peine qu'elle n'oublie pas les ravages que firent ces drogues sur certains de leurs amis, comme ce copain de papa, maigre à faire peur, qui venait de temps en temps prendre un repas chaud à la maison et à qui papa glissait quelques billets avant qu'il ne reparte, voûté, toujours vêtu d'un imperméable crasseux et donnant l'impression qu'il avait trente ans de plus que son âge. Dans un instant de confidence, mes parents m'avaient dit que, des années plus tôt, il avait été un brillant poète, très prometteur, mais qu'il s'était grillé le cerveau avec le LSD, qu'il n'était jamais vraiment redescendu de ses voyages intérieurs, et qu'ensuite cela avait été la spirale infernale de la toxicomanie, que maintenant il vivait dans un squat sordide de North Isola.

Le Prince estime que la drogue n'ajoute rien. Au contraire, cela retire, dit-il, «la vérité de la sensation». Le Prince pense que les Initiés ou les disciples, qui sont parfois sans même le savoir, comme ce fut mon cas, sur le chemin de l'Initiation, n'ont pas besoin de substitut pour jouir toujours plus fort, toujours plus loin.

Le Prince répète souvent que la consommation d'ecstasy et de cocaïne, à la mode dans les fêtes branchées de la ville ou dans les bureaux climatisés du quartier des affaires de Battery Park et de South Isola, provoque les effets inverses à ceux recherchés. Les consommateurs n'y trouvent que solitude et illusion.

À ce propos, mon psy, Bill Reich, ne dit pas autre chose. Il affirme que s'ils sont convenablement stimulés, éduqués, entraînés, le cerveau et le corps libèrent eux-mêmes des drogues bien plus puissantes et bien moins dangereuses que toutes celles que l'on trouve chez les dealers. Mais il est vrai que Bill Reich n'est pas un psychanalyste comme les autres. Ses thérapies sont particulières, très particulières, mais néanmoins efficaces : j'en suis la preuve. Non seulement j'ai trouvé l'équilibre rêvé dans l'Initiation mais, en plus, maintenant, je peux raconter cette histoire.

Je sais que nombreuses sont les femmes à posséder ce don, ou, si ce mot semble trop chargé de mystère et d'irrationnel, cette potentialité. Celle de transcender leur sexualité. Il ne s'agit plus alors d'accéder au plaisir mais de lui faire prendre des formes extrêmes, qui deviennent connaissance du monde et de la réalité.

Mais, comme cela a failli m'arriver, la plupart oublient cette potentialité et, si rien ne vient la réveiller, elles se retrouvent malheureuses, frustrées d'on ne sait quoi. Elles font semblant de s'éclater, comme elles disent, mais prennent des antidépresseurs et des tranquillisants, ce qui est une autre forme d'addiction.

J'en connais aussi qui rentrent dans un joli loft de Tribeca après une journée de quinze heures où elles espèrent ne plus penser à rien une fois la porte refermée. Il n'y a qu'un chat pour les attendre. Elles commandent des sushis par téléphone, fantasment vaguement sur le livreur haïtien, vont se masturber sous la douche en imaginant qu'il les prend de toutes les façons, puis allument la télé et dans leur peignoir Kenzo mangent leur poisson cru en regardant un film idiot.

Ensuite, au choix, elles téléphoneront pendant des heures à une copine, passeront une partie de la soirée à *skyper* avec leur mère restée en Arizona ou à chatter sur Internet avec des inconnus sur des sites de rencontres en vue d'un *speed dating*. Puis elles s'apercevront qu'il est 2 heures du matin, et elles éprouveront une angoisse brutale car elles doivent se lever tôt.

Elles passeront une dernière fois dans la salle de bains pour se brosser les dents et avaler un somnifère. Le chat viendra ronronner autour de leurs jambes, elles laisseront tomber leur peignoir sur le sol pour se contempler longuement, très longuement, dans un miroir où elles pourront se voir en pied. Elles se demanderont pourquoi il est impossible de rencontrer un homme, pourquoi le temps s'en va si vite, pourquoi elles ont l'impression de ne plus avoir de prise sur rien, ni sur leur vie, ni sur les êtres, ni même sur les objets de luxe qu'elles achètent pour se donner l'impression d'exister… Elles n'entendront plus que le bruit typique du tube de néon qui leur donnera de vilaines idées d'hôpital et de maladie. Mais déjà le somnifère fera effet et elles se dirigeront vers leur lit en titubant avant de sombrer, enfin, dans un sommeil heureusement sans rêves.

Je connais assez bien l'une d'entre elles. Elle s'appelle Agatha Laystin, c'est l'une de mes collègues, en fait une subordonnée. Je suis devenue bien malgré moi sa confidente. Quand elle est arrivée pour travailler auprès du conseiller Jim Farlowe, élu de la circonscription de Hell's Kitchen et qui a de bonnes chances d'emporter la mairie aux prochaines élections, Agatha m'a paru bien malheureuse et m'a désolée chaque jour un peu plus, même si je sais que je ne me serais pas rendu compte de sa détresse particulière avant mon Initiation par le Prince.

Mais le fait d'être Initiée donne une véritable clairvoyance sur les êtres et leurs désirs les plus inavouables, les plus refoulés. On dirait même que les Initiés les attirent, ces solitaires, qui se sentent condamnés à l'échec sentimental et sexuel.

Si ça se trouve, Agatha Laystin a pourtant eu, comme moi, une adolescence très chaude, au moins sur le plan fantasmatique. Le Prince répète souvent qu'un très riche imaginaire érotique est un signe de prédisposition. Toujours est-il que, s'il avait un jour existé dans la psyché d'Agatha Laystin, tout cela était devenu lointain. Ses fantasmes étaient terriblement ordinaires, fades, préfabriqués. Elle me parlait d'amants épisodiques, qui lui faisaient mal l'amour, ce qu'elle ne voulait pas admettre. Pour elle, le comble de la volupté avait été un amant qui lui avait bandé les yeux avant de la pénétrer et avec qui elle avait partagé l'usage d'un vibromasseur. Ses liaisons étaient éphémères, et c'était le plus souvent elle qu'on larguait. Elle allait aussi dans les deux ou trois mêmes bars chic pour célibataires qui restaient ouverts tard le soir, où des solitudes venaient rencontrer d'autres solitudes pendant qu'un pianiste vieillissant faisait défiler mécaniquement et sans conviction des mélodies sucrées de Frank Sinatra, Perry Como ou Dean Martin. Quand elle trouvait l'âme sœur, elle devait déjà sentir, dans le taxi jaune qui les ramenait chez lui ou chez elle, que ça ne serait pas l'homme de sa vie mais, pour rien au monde, elle ne se le serait avoué.

Un jour, il y a quelque temps, elle m'a demandé de venir déjeuner avec elle, juste avant la pause de midi. J'ai accepté, même si cette Agatha est ennuyeuse comme la pluie et qu'elle me fait toujours un peu pitié, sentiment que je n'aime pas. Elle a mon âge, c'est la trentenaire type. Elle a, comme moi, suivi des études de sciences politiques et, comme moi encore, s'est spécialisée dans la communication des élus.

Elle a étudié en Floride, d'où elle est originaire, et la *Sunshine Belt* lui manque visiblement. Depuis cinq ans qu'elle travaille ici, sa peau est verdâtre et les UV n'y changent rien. Elle ne cesse de bougonner contre le climat de la ville, trouvant qu'il y fait toujours trop froid ou trop chaud, et elle est incapable d'apprécier, par exemple, le magnifique été indien que nous avons en ce moment.

Agatha est assez grande mais beaucoup trop maigre. Elle s'habille invariablement d'un tailleur strict, allant du gris au pied-de-poule, pour être prise au sérieux par les hommes. Ses tenues de marque lui coûtent une fortune et, même avec son salaire de communicante, entre son petit loft à Brookside Sud avec vue sur le pont Roosevelt et ses dépenses de représentation, les fins de mois doivent être difficiles. En plus, elle n'a pas de chance. Ses tailleurs onéreux tombent mal sur son corps osseux et il en va de même pour sa coiffure. Elle m'a pourtant confié aller chez les plus grands coiffeurs de la ville, comme Sacha et Olivier à Union Square. Mais le résultat est décevant et ce n'est pas la faute des coiffeurs. Ainsi, par un vilain sortilège, ce qui devrait être un agréable carré devient, chez elle, un genre de casque noir que l'on croirait posé à même le crâne, comme un postiche. Comme m'a dit une fois une autre collègue un peu vacharde : « Ce n'est pas Louise Brooks, mais son squelette. »

Bref, j'ai compris que cette pauvre Agatha Laystin était au comble de la misère sexuelle lors de ce déjeuner au nord d'Hancock Park, près de mon ancienne fac. Et j'ai aussi compris qu'elle commençait, sans même s'en rendre compte, à jouer un jeu très dangereux.

Nous nous sommes retrouvées dans un joli restaurant branché, genre bistrot parisien. Je posai mon sac Miu Miu à côté de moi et je vis les yeux d'Agatha se poser sur lui. Je pouvais être certaine que, dans une semaine ou deux, elle irait acheter le même modèle et qu'elle pousserait même le culot jusqu'à me dire : « Tu as vu, Alice, nous avons le même sac ! » Je commandai le célèbre œuf à la coque que l'on dégustait avec ses mouillettes découpées dans une authentique truffe du Périgord tandis qu'Agatha se repliait sur une banale salade aux crevettes.

— Je n'ai pas voulu te voir pour parler boulot, commença-t-elle, mais parce que j'ai besoin d'un conseil. D'un conseil sur un plan personnel...

Je m'attendais encore une fois à un récit banal d'amourette ratée. Pour une fois, je me trompais.

15

Agatha attendit que le serveur apporte sur notre table des gressins et la bouteille de Perrier que nous avions commandée. Elle ne semblait pas savoir par quoi commencer. Elle passait la main dans son affreux petit carré et ses lèvres, qu'elle mordillait, paraissaient encore plus minces que d'habitude.

— Voilà, Alice, j'ai rencontré quelqu'un…

— Mais c'est très bien, Agatha.

— Je ne sais pas…

— Tu ne sais pas quoi…

— Eh bien, si c'est vraiment bien d'avoir rencontré cet homme.

— C'est-à-dire ? Je ne comprends pas.

Le soleil illuminait la salle de restaurant et le brouhaha se faisait joyeux. Des serveurs habillés d'un grand tablier blanc circulaient entre les tables avec une virtuosité étonnante et ne semblaient pas tendus, bien que ce soit l'heure du coup de feu. Je réprimai un soupir de lassitude.

Écouter Agatha Laystin ne m'enchantait guère et je laissais traîner mon regard sur les convives. Qui sait si je ne reconnaîtrais pas un Initié ? Qui sait si un sourire discret, un effleurement de main au moment de payer l'addition ne seraient pas la promesse d'une rencontre improvisée plus tard dans l'après-midi, non pas dans un hôtel, mais dans un de ces nombreux appartements mis à disposition par le Prince, un peu partout dans la ville ?

Comme tous les Initiés, j'ai ma propre carte de la ville en tête. GPS interne de la sensualité, de la perversion et du mystère nous amenant à toutes sortes de plaisirs, allant de la simple rencontre à l'orgie. C'est une carte occulte qui n'a pas grand-chose en commun avec les guides touristiques, même ceux qui se prétendent branchés en indiquant les points chauds pour amateurs de sensations fortes : clubs de strip-tease, boîtes échangistes, lieux pour les gays ou les lesbiennes, donjons SM...

Non, sur cette carte, des appartements, des lofts de plaisir, tous clandestins, sont reliés par une espèce de fil d'or, de parcours symbolique que suivent des limousines ou des voitures de luxe aux vitres fumées, à l'intérieur desquelles parfois, déjà, les corps s'entremêlent dans une odeur de sexe et de parfums haut de gamme.

— Tu n'as pas l'air d'être là ! me dit Agatha Laystin, d'un air de reproche, en reposant son verre d'eau gazeuse et en effritant un gressin qu'elle ne se décidait pas à grignoter.

Elle se contentait, du dos de la main, de transformer les miettes éparpillées en lignes bien rangées. Ce qui à la fois m'irritait et, en même temps, indiquait bien l'état d'esprit et le caractère maniaque de cette pauvre Agatha.

— Mais non, ma chérie, tu as rencontré un homme et tu n'es pas sûre que ce soit une bonne chose.

— Je ne sais pas par quoi commencer, vraiment...

— Par le commencement, Agatha, c'est ce qu'il y a de plus simple en général, dis-je alors que l'on nous servait et que je sentais avec délices l'odeur de truffe monter à mes narines.

Agatha regarda, la mine morne, sa salade aux crevettes et entreprit d'en saisir une par la queue, fit le geste de la porter à sa bouche avant de renoncer. Elle prit sa respiration, comme un gosse qui s'apprête à plonger, et se lança:

— Voilà, il s'appelle Samuel. Enfin, c'est ce qu'il m'a dit. Samuel Winslow. Je l'ai rencontré par Internet. Mais, attention, hein, ne va pas te méprendre. Un site très chic, sérieux, avec des droits d'inscription qui valent l'abonnement annuel à mon club de gym de Tribeca.

— C'est quoi, le nom de ce site?

— QualityContact, tu connais?

Je connaissais, je n'y avais jamais été inscrite mais je connaissais.

Il appartenait au Prince.

Le Prince était en effet, derrière une série de sociétés écrans, le propriétaire de plusieurs de ces sites. C'était un moyen comme un autre de recruter de futurs Initiés, de repérer certains abonnés qui avaient, comment dire, le don, ou du moins des prédispositions à l'Initiation.

— Oui, je connais QualityContact…

— Tu as… tu as essayé?

— Quoi?

— Ce genre de rencontres par Internet?

— Tu oublies que je suis une femme mariée, Agatha!

— Oui, je sais, Gene…, dit Agatha avec un soupçon de regret et de jalousie dans la voix. Mais tu aurais pu…

— Il n'est pas question de moi, chérie, pour l'instant.

— Tu as raison. Donc, après des semaines de *chat*, j'ai décidé d'accepter de le rencontrer. De toute façon, ça devenait impossible de faire autrement.

— C'est-à-dire?

— J'y passais ma vie, Alice. Ce garçon avait une manière incroyable de me parler, enfin de m'écrire. Très romantique. Il m'envoyait sans arrêt des poèmes sur mon smartphone…

— Et toi, Agatha, tu lui répondais? J'ai remarqué que tu t'en servais pas mal lors de nos réunions.

Agatha rougit, ce qui était un exploit étant donné son teint cireux.

— C'est un reproche?

— Mais pas du tout, ma chérie. Je plaisante. Donc, il t'envoyait des poèmes.

— Oui, c'était délicieux. Tiens, j'en ai recopié un.

Elle posa la crevette qu'elle était en train de décortiquer et fouilla dans son sac Gucci effectivement moins joli que mon Miu Miu, trouva un petit carnet Muji qu'elle feuilleta l'air énamouré avant de lire, d'une voix exagérément emphatique:

Il n'y a que toi dans la ville
Et pourtant tu n'es nulle part
Mon amour veux-tu qu'on file
Pour un nouveau départ?

— Tu en penses quoi, Alice?

Je me retins de rire.

Le souvenir de Sam Atkinson et du club littéraire du lycée Mason me remonta en mémoire. J'avais l'impression que, même à seize, dix-sept ans, nous étions tout de même moins naïfs.

— C'est très joli, très sensible, dis-je en portant mon verre de Perrier à mes lèvres pour calmer le fou rire que je sentais poindre.

— Je savais qu'une fille comme toi, si sûre d'elle, si cultivée, saurait apprécier une telle sensibilité, me dit-elle avec sérieux. Tiens, en voilà un autre…

Avant que j'aie pu objecter quoi que ce soit, elle recommença à déclamer, avec des trémolos dans sa voix habituellement sèche et dépourvue de sensualité :

C'est l'été indien, c'est l'été indien
Belle inconnue
Dire que je ne t'ai jamais vue
Et que nous pourrions le veux-tu
Unir nos pas dans l'été indien, l'été indien...

— Pas mal, dis-je, pas mal du tout ! Mais il l'envoie peut-être à toutes les femmes qu'il rencontre.

Ce n'était pas très gentil mais j'avais du mal à résister. J'avais envie de bousculer cette niaise qui pouvait facilement devenir arrogante.

Agatha fronça les sourcils, fragmenta un bout de baguette grillée qu'elle tartina d'un voile imperceptible de beurre avant de poser une crevette qu'elle avait mis dix bonnes minutes à décortiquer.

— Ce n'est pas très cool ce que tu me racontes, là, Alice !

Je la priai de m'excuser, disant que je la taquinais, que j'étais un peu jalouse si ça se trouvait. Elle me regarda pleine de reconnaissance. Mon Dieu, qu'elle était bête...

— Non, je plaisantais, ils sont très beaux, ces poèmes...

Je n'en pensais pas un mot. Comment toutes ces femmes de trente ans, me demandai-je, qui avaient fait des études supérieures, qui évoluaient professionnellement dans les milieux sans pitié de la justice, de l'économie, du droit ou de la politique, pouvaient être d'une telle immaturité affective ?

On aurait dit, encore une fois, des lycéennes de Mason, qui voyaient les hommes comme des créatures étranges, désirables bien entendu mais mystérieuses. Car elles ne savaient jamais si elles allaient tomber sur un prince charmant ou un salaud, sans se rendre compte que les hommes, à de rares exceptions près, ne sont ni l'un ni l'autre. Alors, elles restaient enfermées dans une solitude qu'elles prétendaient, pour donner le change, volontaire. Elles étaient des sortes de princesses en exil qui attendaient l'homme parfait. Un peu comme moi, quand il m'arrivait à seize ans d'espérer un dépucelage romantique dans une auberge du Connecticut.

En regardant Agatha, dans son élégant tailleur qui lui allait mal, je me revis quelques années plus tôt, avant que ne commence mon Initiation. J'étais comme elle, en proie à une grande solitude affective et sexuelle. Je me posai une série de questions sur cette fille à la peau brouillée, aux méplats proéminents et aux joues creuses, qui me faisait face.

Agatha Laystin...

Agatha Laystin se masturbait-elle ? Et comment ? Les doigts ? Un sex toy ? Un concombre ou une courgette ? Quels orgasmes, satisfaisants ou non, en tirait-elle ? Ou pire, comme cela m'était arrivé dans ce que j'ai convenu d'appeler ma période glaciaire, ne connaissait-elle pas même de montées orgasmiques ? Et ces plaisirs mécaniques ne la renvoyaient-elle pas, sans pitié, à une absence, celle du corps de l'amant à côté d'elle ? À sa place, on contemple, sur les draps de soie achetés chez Bloomingdale's, un ridicule phallus de latex rose qui s'épuise dans une vibration électrique de plus en plus faible, ou un légume sur lequel on peut deviner, à la lumière des lampes halogènes de chez Stark, les reflets de la cyprine dont il a été enduit. Déferlent alors les vagues de la frustration et de la mélancolie.

— Et en dehors des poèmes ? Quels sont vos contacts ?

— On a échangé des photos…

— Tu sais que c'est dangereux, surtout dans notre métier, Agatha. Tu as même, dans ton contrat avec le conseiller Farlowe, une clause à ce sujet. Nous travaillons dans un secteur ultrasensible, toujours sous les yeux de la presse. Et le scandale n'engagerait pas que toi, tu le sais bien… Tu pourrais être poursuivie par notre employeur, Jim lui-même…

Agatha rougit encore, essuyant ses lèvres minces comme si elle devait en ôter une saleté invisible.

— Il y a eu des photos… un peu chaudes ? Il vaut mieux le dire maintenant ! demandai-je juste après que le serveur, un joli gosse hawaïen très costaud, eut débarrassé notre table.

Je pensais au nombre d'ados, mais aussi de femmes de tout âge, qui se laissaient piéger et dont les photos embarrassantes sinon honteuses se retrouvaient en ligne sur You Tube ou Facebook, par exemple.

— Alors, Agatha ? Tu racontes ?

— Eh bien, on a branché nos webcams au bout d'une dizaine d'échanges.

— Et…

— Oh, c'est affreusement gênant, Alice.

Elle crut obtenir une diversion quand le serveur vint nous proposer une carte des cafés aussi épaisse qu'un manuel de droit civil. Je connaissais les goûts d'Agatha qui, d'habitude, se contentait d'un banal *latte* mais qui, cette fois-ci, faisait mine d'hésiter entre des mélanges colombiens aux notes cacaotées ou des robusta nicaraguayens au goût citronné issus du commerce équitable.

Je ne lui laissai pas de respiration.

— Alors, tu es allée jusqu'où ?

Elle ne me répondit pas, saisit son smartphone et me le tendit. Je pus voir un petit film sur l'écran, de moins bonne qualité que celui que j'avais tourné avec l'inconnu de Battery Park, sur le ferry.

On y voyait Agatha, nue sur une chaise au dos ajouré par des barreaux. Elle était assise les jambes de part et d'autre du dossier. Dans l'éclairage un peu maladroit, on ne devinait que sa touffe brune, comme une tache plus sombre entre les barreaux.

— Je n'avais pas de chapeau haut de forme, c'est dommage, me dit cette cruche, mais tu vois l'idée!

Ensuite, elle se levait et apparaissait nue dans la pénombre. Dans le champ de vision, un chat surgissait et s'arrêtait pour miauler. Agatha le chassait d'un mouvement de son pied nu.

— Ce n'est pas une raison pour être cruelle avec les animaux, ma chérie! dis-je en souriant.

Elle haussa les épaules.

Ensuite, elle se contentait d'un simulacre de masturbation et de caresses exagérées sur ses seins secs aux mamelons épais, sortes de mégots mauves qu'elle pressait en prenant des mines faussement extatiques. Rien de bien méchant, mais n'importe qui pouvait tout de même exploiter le contenu de ce film d'une trentaine de secondes.

— Et lui, ton poète, il ne t'a rien donné en échange?

Agatha eut un sourire triomphant:

— Mais si, tu vois, notre pacte est fondé sur la confiance! Une forme de contrat! Je me montre à lui. Il se montre à moi...

Je souris intérieurement: c'était aussi un contrat qui liait le Prince et les Initiés, mais je doutais qu'il y ait une comparaison possible entre ce pacte fondamental et ce à quoi jouaient Agatha Laystin et son Samuel Winslow.

Agatha me reprit le smartphone des mains, effectua quelques manipulations et me le tendit de nouveau, alors que je reposais ma tasse après avoir bu, d'une gorgée, mon délicieux *ristretto* venu du Mexique.

L'image n'était pas de meilleure qualité : on y voyait un homme, pas très grand, aux hanches épaisses, avec une légère bedaine, mais dont les larges épaules trahissaient une certaine énergie. J'ai pensé à un sportif qui aurait laissé tomber l'entraînement, un nageur peut-être. Il se dandinait d'un pied sur l'autre sur une musique que je ne pouvais pas entendre puisque le son du smartphone était réglé au minimum. Il se dégageait de lui une puissance peu commune, une animalité plaisante. Il était en érection et j'eus le temps de contempler un sexe circoncis, court mais épais et noueux, pourvu de deux très gros testicules.

Je fus troublée un instant, je peux bien l'avouer, et pensai que ce genre de bel animal, dégageant une telle virilité brutale, aurait pu faire merveille dans certaines orgies. Deux détails, pourtant, me choquèrent. Ce Samuel Winslow avait sur l'épaule gauche un tatouage et il s'était filmé de manière à ce qu'on ne voie pas son visage.

Quelques années plus tôt, pour payer mes études, j'avais travaillé dans une agence de détectives privés. Oh, n'allez pas imaginer des personnages de polars ou de romans noirs ! En ville, la plupart des privés sont mandatés par de grands cabinets d'avocats et les aident dans leurs recherches de témoins, qu'il s'agisse de procès pour des divorces, des escroqueries, voire des crimes. Ils sont habillés la plupart du temps comme des avocats et travaillent dans des *open space* que l'on pourrait confondre avec ceux de n'importe quelle start-up.

J'étais alors une simple stagiaire, c'était un après-midi morne de novembre où tombait de la neige fondue. Un vieux membre de l'agence, proche de la retraite, qui passait ses journées à transférer les archives poussiéreuses sur Internet, me montra, pour m'amuser, tous les tatouages que l'on pouvait rencontrer chez les délinquants.

Tous renvoyaient à un gang, une région, une prison – parfois aux trois en même temps –, mais ils indiquaient aussi ce qu'avait commis le taulard : meurtre, vol, trafic... Il y en avait une incroyable variété et le vieux détective privé fut tout heureux de partager avec moi sa science en la matière.

— Il y a même des types de la Brigade criminelle de Police Plazza qui viennent me consulter ! En dehors de moi, la seule meilleure base d'informations sur les tatouages dans le pays, c'est le FBI, et encore...

Je m'en souvenais parfaitement, et parfois encore, lors des orgies avec le Prince, il pouvait m'arriver de reconnaître certains de ces dessins indélébiles. Ceux qui les portaient n'étaient pas des Initiés, bien entendu, mais des invités recrutés par les services de sécurité du Prince. Ils étaient amenés les yeux bandés sur les lieux des cérémonies. On les payait substantiellement pour pimenter nos ébats. Ils étaient les seuls à ne pas être masqués, faisaient preuve d'une sauvagerie et d'une brutalité de bon aloi, sans jamais cependant dépasser certaines limites clairement établies. Des gardes du corps, disséminés çà et là, veillaient d'ailleurs à ce qu'il n'y ait pas de débordements. Et il n'y en avait pas.

Je vis donc, sur la mauvaise image que me présentait Agatha, ce tatouage sur l'épaule gauche du prétendu Samuel Winslow. Il était assez difficilement discernable et je repassai la scène afin d'essayer d'en déterminer plus précisément les contours.

Agatha se méprit sur mes intentions et déclara d'une voix triomphante :

— Je vois qu'il t'excite aussi. N'est-il pas merveilleusement… animal ?

Je souris mécaniquement, mais repensais au cours improvisé, des années plus tôt, par le vieux détective. Était-ce un aigle, le plus banal, utilisé par les taulards comme par les forces spéciales, symbolisant la force, la virilité et le courage ? Ou encore une ancre, pour indiquer, non pas forcément une carrière dans la marine, mais surtout un attachement, aussi bien à une femme qu'à un chef de gang ? Cela aurait pu être aussi des chaînes. Si elles étaient intactes, c'était un signe d'allégeance à un chef pouvant également, s'il s'agissait d'un ex-taulard, signifier la soumission sexuelle à un caïd. En revanche, si les chaînes étaient brisées, la plupart du temps, cela indiquait que le taulard avait réussi une ou plusieurs tentatives d'évasion. Je me souvins également que le chat sauvage était le tatouage préféré des cambrioleurs et que le cheval se trouvait souvent chez les assassins.

Les tatouages représentant le feu, une épée, ou les deux, étaient privilégiés par les hommes violents, aux pulsions sadiques assumées. Sans compter ceux qui, comme j'allais le découvrir par la suite lors de certaines orgies, faisaient les amants les plus sauvages et avaient Thug Life tatoué sur l'abdomen, le i prenant la forme d'une balle de pistolet. Cela signifiait que les types venaient du gang des Furious Devils, un des plus anciens de la ville, qui sévissait de l'autre côté d'Isola et de Brookside, dans le quartier de Flushing Hampstead.

Enfin, en orientant l'écran du smartphone, je pus distinguer de quoi il s'agissait et j'eus un frisson : c'était une tête de clown. Ceux-là, le Prince n'en voulait absolument pas. La tête de clown, surtout si une larme était représentée sous l'œil, indiquait en effet la folie.

Les services de police ou l'administration pénitentiaire parlaient pudiquement de troubles psychiatriques, mais plaçaient sous surveillance particulière ces individus qui n'avaient ni inhibitions ni surmoi. Ceux qui étaient tatoués de cette manière, dans le milieu ou en prison, étaient considérés comme des dangers publics, même par les criminels les plus endurcis.

En résumé, Agatha Laystin était tombée sur un dingue de la plus belle espèce et le fait que l'on ne voie pas son visage ne laissait pas de m'inquiéter.

— Tu l'as déjà rencontré?

— Eh bien, c'est pour ça que je veux te demander conseil. Je l'ai rencontré une fois, mais... Samuel est associé dans plusieurs cabinets d'avocats du côté de South Isola. Ils sont spécialisés dans les escroqueries à l'assurance et travaillent pour deux ou trois compagnies. Il dit que son travail ressemble à celui d'un flic fédéral. Il se trouve toujours sur la route en compagnie d'un expert pour vérifier le scénario concocté par les clients malhonnêtes pour empocher illégalement la prime. C'est un type passionnant, il a vu une bonne partie du pays...

— Quel âge a-t-il?

— Il m'a dit quarante-huit et j'aurais tendance à le croire. C'est un beau brun aux cheveux en brosse, à peine teintés de gris. C'est un ancien *marine*, en plus, et ça, on le voit à son corps. Tu as vu ce tatouage? C'est celui de je ne sais plus quelle unité spéciale. Il a servi en Amérique centrale, plus jeune. Il a d'ailleurs pas mal de cicatrices.

Le vieux détective m'avait aussi parlé des tatouages des unités spéciales: celui des *marines* américains représentait un bulldog, la mascotte de ce corps d'élite. J'avais appris que les tatouages militaires pouvaient comporter bien des motifs mais des têtes de clown, jamais...

Je ne savais plus trop comment m'y prendre. Je connaissais assez la susceptibilité d'Agatha pour savoir que, si je lui parlais frontalement, elle prendrait ça pour de la jalousie ou je ne sais quoi et que le résultat serait contraire à ce que je voulais obtenir : éviter que cette naïve solitaire ne termine à la page des faits divers du *City Chronicle* ou de *USA Today*.

— Donc tu l'as rencontré...

— Oui, finalement, j'ai franchi le pas et accepté un rendez-vous dans un sushi bar, près de Battery Park, tu sais, au troisième étage d'un des nouveaux buildings.

— Oui, Agatha, je vois très bien. Il y a là aussi un complexe avec piscine, sauna et salle de gym. Et une galerie marchande où l'on trouve de la porcelaine française. Ce n'est pas la New Princes Tower ?

— Oui, exactement...

J'espérais, en parlant ainsi d'autre chose, la mettre en confiance car je sentais chez elle une réticence mêlée d'inquiétude. Mais, finalement, je posais la question décisive...

— Comment ça s'est passé ?

— Très bien, il est charmant.

Son visage démentait ses propos.

— Et ensuite ?

— Après le déjeuner, nous sommes allés à l'hôtel...

Agatha eut l'air affreusement désemparée, l'espace de quelques secondes. Puis elle observa un long silence avant de poursuivre :

— J'ai pris un pied d'enfer, mais j'ai aussi eu un peu peur, pour tout te dire, Alice. Non, j'ai même été presque... presque terrifiée.

— Tu as eu peur, pourquoi ?

— Il a été très... brutal, à vrai dire.

— Raconte, ça te fera du bien.

— Eh bien, il n'y a pratiquement pas eu de préliminaires. À peine entré dans la chambre, il s'est vite débarrassé du garçon sans même lui donner de pourboire. Il semblait ne plus être le quadra cool et chic. Sa physionomie avait changé même si son costume Ralph Lauren était toujours le même. Tu vois, Docteur Jekyll et Mister Hyde… Il m'a déshabillée d'emblée, arrachant les boutons de la veste de mon tailleur et faisant craquer la fermeture éclair de ma jupe avant de littéralement déchirer mon soutien-gorge. Et puis, alors que lui était toujours habillé, il m'a dit avec un petit sourire assez cruel : «J'aimerais que tu te promènes à quatre pattes, nue, dans la chambre.» Pour tout te dire, Alice, et je sais pouvoir compter sur ta discrétion, cela m'a prodigieusement excitée dans un premier temps. Il m'interdisait de le regarder et se contentait de m'intimer l'ordre de continuer à marcher comme… comme un animal, ou une chienne. J'avais honte du plaisir que je ressentais. Et puis j'ai entendu comme un glissement et, tout d'un coup, une terrible morsure au bas des reins : il avait sorti sa ceinture et il me frappait de toutes ses forces. Les larmes me montaient aux yeux mais en même temps je jouissais, Alice, à ma grande honte. Il m'interdisait toujours de le regarder, il m'a juste demandé de grimper sur le lit au bout d'un bon quart d'heure. Mes fesses et mon dos étaient en feu. J'en ai encore les marques. Sur le lit, il m'a ordonné de garder la position à quatre pattes et là, toujours sans que je le voie et sans vraiment de préparation, il m'a prise d'une seule poussée. Il m'a prise comme, comme…

— Comme un garçon ?

Agatha baissa les yeux.

— C'est ça. Oui. Et là, j'ai eu encore plus mal. Je n'avais jamais connu ce type de rapports, tu sais ? J'ai eu beau supplier, crier, il a appliqué sa main sur ma bouche et a continué son va-et-vient, de plus en plus vite. La douleur irradiait tout mon corps. Je ne ressentais plus le moindre plaisir.

— Ma pauvre Agatha… Ce type est dérangé!

— Mais non, Alice. Je pense qu'il s'en est voulu puisque, une fois qu'il a joui, il s'est montré très gentil. Il m'a caressée, il a léché les zébrures sur mon dos, il s'est excusé, m'a dit que c'est parce que je l'excitais trop et qu'il s'en voulait tellement, maintenant. Qu'il ne fallait pas que je lui en tienne rancune. Il a même réussi à me faire sourire en jouant avec la peau de son épaule tatouée et en transformant la tête du clown qui avait l'air encore plus triste, avec sa larme sous l'œil. Après ça, il a commandé au service d'étage des petits canapés au caviar rouge et un magnum de Dom Pérignon. J'avais mal partout, je ne savais plus si j'avais honte ou si j'étais en colère, mais l'alcool m'a détendue et on s'est quitté légèrement ivre. Alors, tu en penses quoi?

— Ce que j'en pense, Agatha, c'est que c'est très imprudent. Je ne critique pas le fait que deux amants consentants, signant une sorte de contrat, se livrent à ce genre de jeux. Mais je trouve étrange que cela se produise lors d'une première rencontre, sans te prévenir. Tu aurais pu tomber sur… sur un malade!

— Mais c'est un avocat qui travaille pour des cabinets renommés!

— D'abord, s'il n'y avait pas de psychopathes chez les avocats, les traders ou les diplomates, ça se saurait. Ensuite, tu as vérifié? Aujourd'hui, avec Google, c'est facile, tu sais.

— Euh, non… Je ne sais pas, je ne sais plus. Je suis encore toute dolente et pourtant, au fond de moi, j'ai envie de le revoir.

J'ai pensé que cette pauvre Agatha était victime de ce que Bill Reich, mon analyste, appelle la pulsion de mort. Je me suis demandé si Agatha suivait une psychanalyse. Moi, ça m'avait servi, même si cela n'avait pas été une procédure tout à fait habituelle, c'est le moins qu'on puisse dire. Je pensais qu'il était de mon devoir d'être la plus directe possible avec Agatha :

— C'est à tes risques et périls et je te le déconseille formellement. Après tout, c'est bien pour cela que tu m'as demandé de déjeuner avec toi : avoir un conseil. Eh bien, je te le donne.

— C'est facile, pour toi, Alice. Tu as un mari, tu as l'air merveilleusement épanouie. Moi, le soir, je rentre seule. Et c'est Pingu, le seul compagnon de mes soirées !

— Pingu ?

— C'est mon chat siamois.

— Ah bon ? Écoute, dans la mesure où tu es adhérente à un site de rencontres aussi coté que Quality-Contact, tu devrais trouver d'autres occasions, d'autres partenaires. Disons qu'avec celui-là tu n'as pas eu de chance. Tu es certaine d'avoir vraiment envie de revoir ce Samuel Winslow ? Si tant est que c'est son véritable nom ! Vérifie au moins ça sur le Net !

— Tu es un peu parano, Alice, me dit Agatha d'une voix où commençait à percer la colère.

— Non, je suis juste une habitante de cette ville de huit millions d'habitants, j'y suis même née contrairement à toi, et je sais, comme le dit un de nos proverbes, que huit millions d'habitants, c'est huit millions de possibilités de mourir.

Agatha avait les larmes aux yeux. Nous avons réglé l'addition et nous sommes ressorties dans la chaleur agréable de l'été indien.

Cela m'a rappelé les poèmes de l'autre dingue car j'étais persuadée, vraiment, que c'en était un.

Agatha Laystin ne l'a pas revu. Elle avait dû vérifier que Samuel Winslow était inconnu au bataillon de tous les réseaux sociaux professionnels.

Elle m'en a voulu au point de devenir une collègue de travail très désagréable et davantage encore quand, quelques mois plus tard, la Brigade criminelle spécialisée dans les crimes sexuels a arrêté Samuel Winslow, dont ça n'était pas le nom, évidemment, qui n'avait jamais été avocat, avait connu sa première incarcération à dix-huit ans et qui était soupçonné d'un nombre impressionnant de viols mais aussi et surtout d'au moins trois meurtres, dix ans plus tôt, dans l'Oregon.

Non, même pas un merci.

Et à ce jour Agatha Laystin est toujours célibataire et passe ses soirées avec Pingu.

16

Si je me suis attardée sur le portrait de cette pauvre Agatha Laystin, c'est que ce genre de mésaventure aurait très bien pu m'arriver. J'ai longtemps pensé que j'étais une de ces femmes pour qui le sexe, dans le meilleur des cas, serait une formalité hebdomadaire, une hygiène comme le brossage de dents. Il me semblait que les quelques semaines précédant la fin de ma classe de première avaient été une parenthèse adolescente due à la canicule et à un débordement d'hormones en fusion comme cela arrive parfois à cet âge. Et que jamais je ne connaîtrais les fantasmes qui en découlèrent.

En effet, après cette étonnante soirée de fin d'année, je m'étais sentie étrangement vide. Pendant un an, on maudit ce réveil qui sonne et nous force à nous lever, on trouve que tous les profs sont idiots, on a l'impression de perdre sa jeunesse à résoudre des équations à deux inconnues, à rédiger des essais sur la poésie d'Edgar Poe, à apprendre des foules de chiffres inutiles sur la sidérurgie américaine ou le système hydrographique des Grands Lacs et, une fois les vacances arrivées, on se sent tout à coup presque trop disponible, ne sachant plus comment occuper ces longues journées libres dont on avait pourtant rêvé.

Mes parents ne m'avaient pas reproché d'être rentrée au petit matin et, ni maman ni encore moins papa, n'avaient sollicité de confidences et ne s'étaient étonnés de ne plus revoir William Blake. Je pense même qu'ils étaient soulagés que leur fille unique ne s'entiche pas d'un futur joueur de base-ball professionnel. Ils avaient sans doute peur que l'année suivante, une fois ma terminale achevée, j'aille le rejoindre dans sa fac perdue de l'Indiana et que je suive un cursus de littérature slovaque ou de poésie ruthène dispensé par des professeurs grisonnants lisant les mêmes cours aux feuillets jaunis avec un impossible accent d'Europe centrale. Évidemment, ils ne pouvaient soupçonner la façon pour le moins surprenante dont la nuit s'était terminée et que William Blake était définitivement sorti de ma vie, comme moi de la sienne.

Dans la solitude de cet été-là, qui fut particulièrement chaud, je ne cherchais même pas la compagnie de mes copines romantiques. Si on se voyait, c'était par hasard en se croisant dans une rue, où l'asphalte fondait et où les chauffeurs de taxi, énervés, klaxonnaient en maugréant. On se saluait mollement, on se disait à quel point on était heureuse d'être en vacances sans en penser un mot. On parlait des gens du lycée sans conviction, on attendait, pour les plus chanceuses, le moment où l'on pourrait quitter la ville et aller prendre l'air ailleurs. Nous n'avions aucune envie, ni les unes ni les autres, de prendre le métro puis le bac jusqu'à Odessa Beach, Fallings Bay ou Long Beach, car nous savions que ce serait bondé, que ça sentirait la friture, l'huile solaire et que les cris d'enfants et le bruit clinquant des fêtes foraines nous casseraient les oreilles. On préférait traîner du côté des fontaines et des pièces d'eau, à Hancock Park, Colombus ou Riverside. Puis on se quittait en se promettant vaguement d'organiser quelque chose chez l'une ou l'autre, mais même ces vagues velléités de fêtes ne débouchaient sur rien.

J'avais bien essayé de joindre Jennifer Coyle, mais je tombais toujours sur un répondeur. Du coup, j'étais allée jusqu'à son domicile, mais je trouvai porte close et le portier en uniforme m'apprit d'une voix cérémonieuse que les Coyle étaient partis pour une bonne partie du mois de juillet à Hyannis Port.

Je ne m'étais pas rendu compte, lors de la soirée qui s'était pourtant déroulée chez eux, à quel point les Coyle étaient friqués. Qu'attendais-je exactement de Jennifer? Qu'elle m'en apprenne plus sur moi, qu'elle m'associe à des cérémonies similaires à celles où elle avait eu ce rôle si plaisant, entre le professeur et le vigile qui maniait si bien le fouet? Qu'elle me laisse de nouveau danser avec elle et que je sente le cuir de cette minijupe rouge sous mes mains, qu'elle m'embrasse d'un baiser profond et glisse encore dans ma chatte humide?

J'ai même, par ennui, revu Sam Atkinson, en compagnie de quelques filles pour éviter tout malentendu. Enfin, c'est lui qui a pris l'initiative, en téléphonant un dimanche, vers midi, alors que papa préparait le barbecue en attendant des collègues de Franklin.

Notre petite bande, reconstituée pour l'occasion, est allée plusieurs fois en traînant des pieds voir des films d'art et essai au Forum de la 118e Rue, où passait un cycle des Marx Brothers. Les salles étaient mal climatisées et nos rires sonnaient faux, le coin était envahi par des touristes du monde entier qui se promenaient en short avec d'immenses appareils photo.

Du coup, nous préférions rentrer dans notre quartier et commander des Dr Peppers chez Goldberg. Nous grignotions des bretzels et regardions tournoyer au plafond un antique ventilateur.

Je crois aujourd'hui, sans en être absolument certaine, que ma période de glaciation commença à ce moment car ceux qui me ressemblaient, ceux qui avaient le don, avaient disparu.

Jennifer Coyle était partie en vacances et je ne la reverrais pas à la rentrée puisqu'elle aurait rejoint sa fac de la côte Ouest. Mlle Simpson s'était elle aussi envolée. Oui, je me sentais abandonnée, quelque chose m'avait quittée – ce que Bill Reich appelle dans son langage l'énergie libidinale. Rien ne me semblait plus excitant, même pas l'érection de Sam Atkinson à côté de moi au cinéma.

Au bout d'une quinzaine de jours de cette léthargie, je devins franchement inquiète. Je n'arrivais plus à faire fonctionner mon petit cinéma érotique personnel. Je repensais à tout ce qui m'avait tellement excitée ces derniers temps, mais je ne mouillais pas, ou si peu, et mon clitoris semblait fuir sous mes caresses.

Alors, de manière un peu folle, j'en suis arrivée à errer dans les rues, à la recherche de l'officier Blisko qui, lui aussi, avait semblé déceler en moi ce don particulier. Je me mis à dévisager les policiers que je croisais. Je regardais les patrouilleuses bleues ornées de leur devise «Servir et Protéger» et tentais de distinguer les physionomies à travers les épaisses vitres fumées. Mon cœur battait plus vite quand je constatais qu'elles appartenaient au 87ᵉ District, car je me souvenais que Blisko y était rattaché. Je suis même allée jusqu'à ce commissariat qui ne se trouvait pas dans le secteur où il nous avait arrêtés, ce qui ajoutait encore du mystère à l'affaire.

Bien sûr, aujourd'hui, je sais ce qu'il faisait par là : il recherchait des disciples pour le Prince, des cibles susceptibles d'entamer le processus d'Initiation.

Dans cette moiteur estivale, j'en étais à considérer Blisko comme une planche de salut. Lui seul pourrait m'extraire de ce désert sensuel que je sentais progresser en moi et qui me faisait d'autant plus peur qu'il contrastait violemment avec la déferlante récente de mes fantasmes – et de mes actes.

Après deux bonnes heures de transports en commun, alternant bus et métro affreusement mal climatisés, et dont les passagers aux mines zombiesques donnaient l'impression d'être les survivants d'une catastrophe nucléaire, j'arrivai au commissariat du 87ᵉ District. C'était un grand bâtiment de brique rouge, sur cinq étages, avec ses escaliers de secours extérieurs. Il aurait pu ressembler à n'importe quel immeuble de ce coin de la ville, si ce n'étaient les fenêtres grillagées et les deux plantons en faction, gilet pare-balles et fusil à pompe, qui montaient la garde et filtraient avec la même sévérité la mamie portoricaine, le cadre moyen en costard ou la jeune fille rousse en sueur.

— Qu'est-ce que vous voulez?

J'avais la bouche sèche.

— Je voudrais parler à l'officier de police Blisko.

— Tu sais s'il est encore là? demanda le premier planton à son collègue

L'autre haussa les épaules, ce qui signifiait sans doute qu'il n'en savait rien.

— Alors, il va falloir vous renseigner à l'accueil.

Je franchis un portique de sécurité qui ne sonna pas, mais un policier jeune et plutôt pas mal de sa personne trouva quand même utile de me fouiller. Quelques semaines plus tôt, cela m'aurait excitée comme une puce et enclenché la machine à fantasmes. Je ne pris aucun plaisir à sentir ses mains me palper rapidement – tout en s'attardant là où il fallait –, sans compter que j'étais gênée par le fait d'être en nage à cause de la chaleur.

À l'intérieur du commissariat, le brouhaha était digne de celui d'un aéroport, à ceci près que les ordres ou autres objurgations étaient aboyés par des voix bien moins agréables que celles des hôtesses. Je dus attendre un bon quart d'heure avant d'arriver à l'accueil, où un sergent à l'air épuisé me demanda ce que je voulais :

— Je souhaite voir l'officier Blisko.

— Qu'est-ce que vous lui voulez, mademoiselle ? Mademoiselle comment, au fait ?

— Chandler. Alice Chandler. C'est personnel.

Le sergent me dévisagea.

— C'est bien la première fois que j'entends ça ! L'officier Blisko, quand on veut le voir, c'est soit pour l'abattre, soit pour porter plainte contre lui.

Une femme flic, petite, de type asiatique, qui assistait le sergent, eut un petit rire quand elle entendit les propos de son supérieur. Puis la physionomie du sergent changea du tout au tout et il me lança d'une voix chargée de rancune :

— Blisko ne travaille plus au 87e, mademoiselle Chandler. Il a été promu. Oui, c'est comme ça, promu. Je ne sais pas quelles fesses il a léchées mais, de mon temps, un flic comme lui aurait fini entre les mains du service des Affaires internes, la police des polices. C'est le plus grand fils de pute que je connaisse. Mais voilà, les temps changent ! Il bosse chez les grands chefs maintenant, au One Police Plazza, en face de l'Hôtel de ville. Et ne me demandez pas comment le joindre, même le capitaine du 87e ne le sait pas. D'après « radio poulet », la rumeur si vous voulez, il a été affecté au service de protection des hautes personnalités, et ça reste top secret… Il doit surveiller les parties de cul d'un ponte de la mairie ou d'un trader en vogue à qui des clients veulent faire la peau. Alors, Blisko, voyez-vous, bon débarras!

Ce fut la femme asiatique qui prit le relais, sur un mode plus doux et plus aimable, presque maternel:

— Si j'ai un conseil à vous donner, mademoiselle, c'est de vous tenir éloignée de Blisko. Ce type a beau être un flic, la plupart de nous ont honte de la façon dont il se comporte. Je ne vais pas donner de détails à une civile mais, de femme à femme, laissez-moi vous dire que c'est un pervers. Je ne sais pas si vous êtes une de ses indics, vous n'avez pas l'air d'une toxico non plus qu'il tiendrait sous sa coupe. J'ose à peine imaginer que vous soyez une de ses nombreuses petites amies qu'il a la réputation de traiter si bien, mais ce que je sais, c'est que moins vous verrez Blisko, plus vous aurez de chances d'avoir une vie longue et heureuse.

Je fus littéralement assommée par ces révélations et je ressortis, presque vacillante, dans la chaleur de la ville. Une voiture de patrouille arrivait, des policiers en sortirent, qui tenaient de près un suspect aux mains menottées dans le dos. Une autre repartait, et klaxonnait pour saluer les flics qui étaient dehors à griller une cigarette.

Je retournai vers la bouche de métro. Qu'avais-je espéré? Que Blisko me donne des explications, qu'il se livre avec moi à des jeux érotiques? Qu'il me fasse perdre mon pucelage? Je revis par flashs la longue scène de notre arrestation. La violence froide, la science de l'humiliation, le plaisir qu'il prenait et ce «nous nous reverrons» qu'il m'avait lancé à la fin sans que je puisse savoir s'il s'agissait d'une menace ou d'une promesse. Peut-être bien les deux, au fond.

En attendant, ce nouvel échec acheva de me refroidir, si on peut dire, puisque la température dans les jours qui suivirent ne descendit pas au-dessous de 37°, même la nuit. Je dormais mal. J'étais inquiète de ce vide nouveau, de ce corps qui était le mien, qui m'avait apparemment promis tant de plaisirs et finalement semblait s'être assoupi, comme si j'étais devenue la Belle au bois dormant.

17

La chaleur ne descendant pas, nous sommes partis, avec papa et maman, pour trois semaines dans le Maine, près de la frontière avec le Québec, au bord d'un lac appelé d'un nom indien imprononçable.

Il y faisait plus frais, c'est sûr, mais je m'y ennuyais encore plus. J'avais pris avec moi des manuels scolaires pour préparer ma terminale et aussi des romans de Stephen King, histoire de me faire un peu peur puisqu'ils se déroulaient dans un décor similaire. Mais nul esprit de la forêt, nul fantôme, nul monstre ne vinrent me distraire.

Papa avait loué pour un prix modique un chalet en rondins, très confortable, appartenant à un collègue dont j'ai cru comprendre qu'il avait fait partie de la bande de mes parents à la grande époque du Flower Power. On disposait d'un petit embarcadères, et papa insistait pour que j'aille pêcher avec lui, mais au bout de deux après-midi, après avoir attendu des heures en vain, je décidai de me passer de cette corvée.

Je préférais encore aller avec maman au supermarché du bled le plus proche, à huit miles, pour acheter le poisson surgelé que papa se faisait un plaisir de griller au barbecue, ce qui était une manière pour lui d'oublier ses déboires de pêcheur. Aller-retour, il nous fallait une bonne heure car la route qui menait à St-John n'était goudronnée qu'à la fin, quand nous sortions de la forêt, ce qui mettait à rude épreuve notre Crown Victoria de 1979.

Ce break Ford était la seule voiture que j'aie jamais connue. C'était elle qui m'apprenait, malgré elle, que je grandissais : il y eut les années où je me trouvais sanglée dans le siège enfant installé à l'arrière, puis celles où j'eus le droit de m'installer sur la banquette, et enfin celles où j'eus le droit monter à l'avant, à côté du conducteur, quand je partais seule avec papa ou maman. Depuis quelque temps, quand l'occasion se présentait, j'apprenais à conduire sous la haute autorité de papa ce monstre si difficilement maniable dans les rues toujours encombrées de la ville.

À St-John, j'avais bien repéré l'unique endroit où se réunissait la jeunesse du lieu. C'était un *diner* près du drugstore, mais les jeunes en question semblaient tous s'ennuyer ferme et jouaient au flipper, l'œil morne, en s'enfilant des bières ou des milk-shakes et en écoutant de la musique provenant d'un juke-box. En ville, au cours de ces années 1990, cela devenait un objet en voie de disparition, sauf dans les lieux qui se voulaient branchés ou rétro. Je les regardais néanmoins avec envie quand nous passions devant, les bras encombrés de grands sacs en papier kraft débordant de céréales, de légumes frais, de barquettes de crevettes ou de filets de saumon surgelés.

Un matin, maman me proposa de me laisser pour me changer les idées. Elle me récupérerait plus tard dans l'après-midi, vers 16 heures, à l'entrée de la ville.

J'acceptai et j'eus bien tort.

À peine ma mère repartie, je traînai d'abord au drugstore, faisant tourner les présentoirs à journaux et à cartes postales. Je me dirigeai ensuite, l'air de rien, vers les revues porno, espérant je ne sais quel retour de flamme, mais il y avait l'œil soupçonneux de la caissière à l'incroyable permanente aux reflets mauves. Je devinai qu'elle m'avait tout de suite repérée comme une fille de la ville, une perverse sans aucun doute. Cela m'agaça et, pour la défier, je pris les revues couvertes d'un film en plastique et commençai à en détailler les couvertures, m'intéressant à celles axées sur le sadomaso.

Tout me sembla vulgaire, un étalage de chairs sans véritable sensualité, des titres clinquants, des modèles qui prenaient des poses exagérées et n'avaient pas l'air réel. Je ne ressentis pas, hélas, ce petit choc au creux du ventre qui annonce le trouble puis le plaisir.

Je vis dans un des miroirs de surveillance que la caissière permanentée se penchait vers le pharmacien pour me désigner d'un air réprobateur. Une sonnette aigrelette signala l'arrivée d'un client. J'allais reposer les magazines porno quand une voix juvénile et rieuse m'interrompit :

— Bah, dis donc, toi, t'as pas froid aux yeux !

Je me retournai et rougis instantanément devant un grand garçon, la vingtaine, en jean et chemise à carreaux, les cheveux châtains coupés en brosse, une vraie publicité vivante pour l'Amérique profonde et ses scieries, la vie à la campagne et les bals country.

J'hésitai un instant entre m'enfuir en courant comme une gamine et faire front.

Il me tendit la main :

— Je m'appelle James Romero et toi, je présume que tu t'appelles Chandler !

Je lui tendis également la main. Il avait une poigne étonnamment douce qui contrastait avec son air rustique.

— Oui, c'est ça. Alice Chandler. Mais comment tu sais ça, toi ?

— C'est moi qui ai préparé le chalet pour votre arrivée. Je travaille pour une entreprise qui s'occupe à l'année des maisons des touristes. Sans compter que St-John, c'est tout petit. Les nouvelles vont vite…

J'étais affreusement gênée, pour tout dire, et je sentais que le feu qui brûlait mes joues n'était pas près de se calmer. Me laisser surprendre, moi, une jeune fille, par ce bouseux, en train de mater des revues porno dans un drugstore… Je n'avais qu'une envie : disparaître, mais le dénommé James Romero avait l'œil qui pétillait et n'avait pas envie de lâcher sa proie.

— Tu viens boire un verre chez Fanny's, ou même grignoter un morceau avec la bande ? C'est juste à côté.

Il respirait l'innocence et la bonne humeur, une variante rurale de William Blake en quelque sorte, et s'il ne jouait pas au base-ball, ce devait être au football ou au hockey.

— Non, merci, ma mère vient me chercher vers 16 heures.

— Et qu'est-ce que tu vas faire d'ici là, continuer à te rincer l'œil ?

Il avait toujours son sourire Colgate, mais je compris le message subliminal : ou j'acceptais son invitation ou tout le monde saurait, dans la bonne ville de St-John, que la fille dont les parents louaient un chalet près du lac était une obsédée sexuelle, une chaudasse, une traînée…

Et dire que, justement, je me sentais tellement éloignée de tout ça ! Mais qui me croirait si je disais que je regardais ces couvertures pour vérifier que ma libido ne s'était pas définitivement éteinte avec la fin de l'année scolaire et la disparition de ces étranges révélateurs fantasmatiques qu'avaient été Joséphine Simpson, Jennifer Coyle et l'officier de police Blisko ?

Je répondis donc par l'affirmative à James Romero et ressortis avec lui du drugstore sous le regard soupçonneux du pharmacien maigre et de la caissière. James Romero les salua d'un : « À plus tard, Maggie, à plus tard, monsieur Murphy », ce à quoi ils répondirent : « Bonne journée à toi, James ! »

C'est bien tout ce que je déteste dans les petites bourgades : cette surveillance permanente, pointilleuse, que l'on prend pour de la convivialité. En ville, l'anonymat existe encore. Il suffit de bouger de quelques rues, de quelques blocs pour se réinventer une nouvelle vie sans que personne fasse attention à vous. D'ailleurs, depuis mon Initiation, la chose m'apparaît encore plus nettement : la ville est le lieu de tous les possibles, de tous les secrets. Malgré les téléphones portables, Internet et les réseaux sociaux, on peut y mener une vie parallèle, clandestine, totalement insoupçonnable. C'est juste une question de technique, dirait le Prince. Alors qu'à St-John avec ses deux mille habitants, tout le monde sait tout de tout le monde : qui couche avec qui, qui a des problèmes avec l'alcool, le jeu ou la drogue, qui vit à crédit ou qui attend la mort d'une grand-mère pour récupérer une maison, qui va à l'église et qui n'y va pas. Un véritable cauchemar.

Nous n'eûmes, James Romero et moi, que quelques pas à faire pour arriver chez Fanny's, et pourtant il salua de la main deux autres personnes de l'autre côté de la rue ainsi que l'inévitable adjoint du shérif qui patrouillait au ralenti à bord de sa voiture.

Cet idiot crut même bon de me préciser, comme si c'était la preuve de sa valeur et de son génie :

— Tu vois, moi, je connais tout le monde ici.

Chez Fanny's, ça sentait les frites et les œufs au bacon, le sirop d'érable et le chocolat qui avait trop chauffé. Le juke-box passait une chanson de Timmy Winette, et je crus vraiment pendant un instant avoir glissé dans une faille spatio-temporelle et me retrouver quelque part dans les années 1950 ou 1960. Tout était presque reconstitué de manière trop parfaite : le graphisme mauve des publicités au néon, les banquettes en moleskine rouge et les vêtements des deux serveuses avec un genre de petite coiffe qui les faisait ressembler à des infirmières.

La bande de James Romero, qui devait constituer le noyau dur de la jeunesse de St-John, était constituée d'une huitaine de garçons et de filles âgés de seize à vingt ou vingt et un ans. Les garçons étaient habillés comme James, un seul poussant l'audace jusqu'à arborer un blouson de cuir noir que n'aurait pas renié Fonzie dans *Happy Days*. Je présumai que sa moto, façon Hell's Angels, devait être garée non loin. Je n'attendais plus que les Buick noires et les Cadillac roses pour me retrouver dans une hallucination digne de Stephen King.

Les filles étaient toutes blondes, sauf une, et elles devaient fréquenter le même coiffeur et lire les mêmes magazines : des cheveux mi-longs et des robes à fleurs assez courtes, manifestement confectionnées maison à partir de patrons découpés dans des magazines de mode.

Une faisait exception, à tel point qu'on aurait dit une image en négatif. Elle était noire de cheveux, d'un noir de jais qui contrastait avec son teint blanc. Elle avait un visage étroit et pointu qui lui donnait l'air d'une musaraigne, portait des lunettes aux verres épais, un affreux ruban dans ses cheveux filasse et, malgré la chaleur, un gilet rouge qui jurait avec son kilt écossais. Je devinai assez vite qu'elle servait à la fois de mascotte et de souffre-douleur aux autres filles, qui se moquaient d'elle sans méchanceté excessive mais de manière continue, ce qui devait être usant à la longue.

Elle était, il est vrai, objectivement vilaine, mais elle me fit instantanément une impression bizarre. Sans vraiment s'en rendre compte, elle me sourit comme si elle me connaissait, avant de changer aussitôt d'attitude et de se renfrogner. Mais je n'avais pas rêvé. Elle m'avait souri d'un sourire, comment dire, complice. Je compris, au milieu des présentations qui prirent surtout la forme d'interjections faussement enjouées et rieuses, qu'elle se prénommait Linda. C'est seulement aujourd'hui, avec tout ce que j'ai appris, que je suis certaine que Linda aurait pu, et elle était la seule dans ce groupe de jeunes qui s'ennuyaient dans un bled perdu du Maine, faire partie des nôtres. Des Initiés.

Elle avait le don. Cela l'isolait autant que si elle avait été couverte de pustules. Elle-même, tout comme moi, ne devait pas comprendre au juste ce qui lui arrivait ni avoir personne à qui se confier dans un coin perdu comme St-John. Les filles ne devaient penser qu'à s'envoyer en l'air sur les banquettes arrière de gros pick-up conduits par des jeunes hommes vigoureux mais peu imaginatifs. Elle sentait bien que son désir était d'une autre nature, mais il n'y avait pas de psy à St-John's. Y en eut-il eu un, il n'aurait pas forcément été du genre de Bill Reich. Il aurait parlé de troubles de la libido, de puberté compliquée, mais comment aurait-il pu soupçonner ce qui se jouait dans les entrailles, le cerveau, le sexe de Linda ?

Son sourire furtif indiquait qu'elle avait reconnu en moi une fille comme elle, en proie aux mêmes délicieux tourments. Mais, comme je ne savais plus où j'en étais, Linda avait dû se dire, un peu désespérée, qu'elle s'était trompée et qu'elle continuerait à vivre seule avec ce désir qui la ravageait comme une éruption volcanique sous-marine.

La laideur de Linda était finalement une sorte de masque. Sa disgrâce n'était que superficielle pour qui savait voir : il aurait suffi pour qu'elle devienne attirante, très attirante même, au point de pouvoir participer aux orgies du Prince, d'obéir jusqu'à l'oubli d'elle-même dans ce monde parallèle de la soumission sexuelle considérée comme une ascèse pour atteindre le plaisir.

D'ailleurs, qui aurait pu affirmer qu'elle ne se transformait pas, quand elle se retrouvait seule dans sa chambre ? Linda, petite sœur dans la prédisposition au vice, que faisais-tu pendant que je dansais sur des musiques idiotes dans une boîte paumée au milieu d'une forêt sombre de résineux exsudant une odeur trop sucrée ? Cet arôme, je l'ai retrouvé par la suite dans le goût du foutre de certains hommes qui avaient en commun d'abuser légèrement de certains vins italiens, en particulier ce Greco di Tuffo que l'on boit dans les trattorias chic de Little Italy, dans Isola Est.

Oui, Linda, comment te caressais-tu ? Commençais-tu par tes épaules que tu huilais de monoï pour les rendre doucement luisantes avant de refermer tes bras sur toi-même dans une étreinte désespérée et solitaire ? Continuais-tu par tes hanches dont l'arrondi parfait était habituellement caché par tes jupes informes ? Descendais-tu ensuite vers ton sexe que j'imagine, puisque tu es brune, touffu et sombre, plein de moiteurs ? Ou peut-être, empruntant en secret le rasoir d'un père ou d'un frère, avais-tu entièrement dégagé ta fente purpurine où perlait le désir indicible que l'on te prenne, que l'on te laboure, jusqu'à ce que tu n'en puisses plus ?

Si, comme je le crois, tu avais le don, tu devais te masturber en te regardant dans la glace de ton armoire, inventant des poses humiliantes, invitations à une profanation qui ne venait pas. À quatre pattes, par exemple, les fesses bien écartées, tes doigts te pénétrant comme si deux hommes s'occupaient de toi en même temps.

Je ne sais pas ce que tu es devenue, en grandissant, Linda. Peut-être as-tu rencontré quelqu'un qui aura compris de quel genre de sexualité tu avais envie. Un homme qui t'aura fait signer un pacte secret t'obligeant, pour ton plus grand bonheur, à te masturber à heure fixe, quelle que soit ton occupation du moment, ou encore à te donner à un autre homme qu'il aurait choisi pour toi.

Malheureusement, je crains que tu ne fasses partie de celles qui n'ont jamais eu, à cause des circonstances, la chance de croiser un guide pour les mener sur le chemin de l'Initiation. Au moins puisses-tu avoir rencontré un mari, naïf mais gentil, qui t'aura fait de beaux enfants et t'aura permis de vivre, toi aussi, ta période glaciaire. Elle est finalement préférable à l'insoutenable frustration d'avoir le don, qui devient une torture si personne n'est là pour vous expliquer comment vous en servir et quels merveilleux usages en faire.

Enfin, nous avons quitté le chalet, nous sommes revenus chez nous. J'avais réussi à contenir les ardeurs de James Romero par quelques baisers. Et, lors d'une baignade avec les autres, pour éviter qu'il ne révèle notre «petit secret», je l'avais même branlé alors que nous avions de l'eau jusqu'à la taille. Une eau froide qui me fit frissonner et ne lui donna pas une érection bien vaillante mais, enfin, il eut l'impression d'être le Casanova du Maine.

De retour à Brookside, je m'abîmai dans les études, inquiétant ma mère qui me voyait finir en bonne sœur. Quand la rentrée eut lieu au lycée Mason, je retrouvai assez naturellement le cercle des romantiques, ce qui m'évitait d'avoir à traîner avec les autres. Je me mis même à écrire de la poésie et Sam Atkinson, qui se trouvait dans la même classe que moi, passa son année à me regarder comme la nouvelle Emily Dickinson. Il m'envoya une correspondance enflammée qui me faisait sourire, m'attendrissait un peu, mais ne m'inspirait rien d'un point de vue sexuel. Je n'en étais pas loin, d'ailleurs, d'Emily Dickinson : je n'aspirais qu'à la réclusion et à la chasteté. Tous ces flux d'hormones qui circulaient dans les couloirs de Mason comme dans n'importe quel lycée ne me concernaient pas.

Quand je me rendais, ce qui était rare car j'étais devenue une élève modèle, chez le conseiller d'orientation qui avait remplacé Joséphine Simpson, je regardais le bureau avec une certaine nostalgie et me disais que le quinquagénaire chauve et sympathique que j'avais en face de moi ne semblait porteur d'aucune sexualité particulièrement exaltante.

Je me branlais assez peu, et presque machinalement, pour m'aider à m'endormir. Mais aucun des fantasmes de l'année précédente ne revint me hanter et perdre ma virginité ne fut plus une obsession. Tout juste y pensais-je de temps à autre. Cette année blanche, si je puis dire, me permit de passer en fac haut la main et d'avoir pour camarade de chambre la belle Cynthia Roy, du Nebraska, qui s'occupa de moi et me fit connaître le garçon à qui, sans conviction, j'offris ma virginité.

18

Cynthia et moi devions remettre une dissertation de sciences politiques sur un sujet assez complexe et avions décidé de bosser dans la bibliothèque universitaire, une grande salle impressionnante datant du siècle dernier. Il régnait dans cet endroit majestueux un silence parfait, un vrai luxe, ce silence. Même les chuchotements studieux des étudiants participaient de cette quiétude. Une lumière d'aquarium baignait la vaste nef éclairée par un plafond en vitrail.

Nous nous sommes mises au travail, mais je n'arrivais pas à me concentrer. Je laissais mon regard errer sur les rayonnages et les autres étudiants. Cynthia, elle, était déjà plongée dans la rédaction du brouillon de sa dissertation et ne s'interrompait que pour consulter la pile de livres posés à côté d'elle. À un moment, elle releva ses beaux yeux bleus vers moi et me demanda à voix basse :

— Ça ne va pas ? Tu as un problème avec le sujet ?

Je haussai les épaules comme pour lui signifier que non, ça n'allait pas, mais que c'était sans importance.

Elle reprit, toujours très bas :

— Je te rappelle que nous devons rendre ce devoir après-demain !

Après-demain, un vendredi.

Je n'aimais pas les vendredis.

Les étudiants de Jackson, dès leurs derniers cours, se divisaient en deux catégories. Il y avait ceux qui habitaient loin et qui repartaient dans leur État d'origine – la Pennsylvanie, le Massachusetts ou le Connecticut – et qui traversaient le campus chargés de valises ou de sacs à dos. Ils se pressaient pour ne pas rater le métro qui les emmènerait vers les gares de Penn Station ou de Grand Central, ou vers le terminal routier de Port Authority Bus.

Pour ceux qui restaient en ville, comme Cynthia dont le Nebraska natal était trop lointain pour rentrer le week-end, c'était le moment de faire la fête dans les bars et les boîtes autour du campus, dont la variété de style éblouissait les provinciaux qui pouvaient choisir entre le jazz, le rock, le heavy-metal ou le punk, en vogue ces années-là. Bon nombre d'étudiants avaient du reste adopté un look gothico-punk avec épingles de nourrice et maquillage façon famille Addams.

Comme Cynthia était vraiment gentille, en plus d'être sublimement jolie, dans le genre grande blonde qui soigne sa ressemblance avec Daryl Hannah, je l'avais parfois ramenée, le vendredi soir ou le samedi matin, si nous avions décidé de faire la fête dans le quartier de Brookside, non loin de chez papa et maman.

La maison de mon enfance me paraissait vraiment petite, désormais. Elle me faisait par ailleurs un peu honte car Cynthia, dont le père était agent immobilier, m'avait montré les photos de l'endroit où elle vivait : une immense maison, avec une piscine, dans la banlieue d'Omaha. Les fois où je l'avais ramenée à Brookside, elle avait vraiment été charmante avec papa et maman mais, rapidement, j'avais senti que l'ennui la guettait, et même l'accablait. Les souvenirs interminables de mes parents sur leurs années beatnik l'avaient intéressée les premières fois mais, les suivantes, elle ponctuait simplement et machinalement les récits de mes parents de «vraiment?», «super», «très drôle»…

En plus, notre maison étant petite, nous dormions dans le même lit, le mien, dans ma chambre mansardée. Il était étroit et nos corps se collaient. En d'autres circonstances, j'aurais trouvé cela excitant, ou en tout cas troublant. Mais je traversais toujours ma période glaciaire. Cynthia, elle, n'était pas du tout dans cet état d'esprit. Elle avait déjà eu pas mal d'expériences au lycée et, dès son arrivée à Jackson, elle avait collectionné les petits amis.

Il est vrai que sa grande silhouette blonde, ses seins en forme d'obus, son allure saine et sportive ainsi que son sourire, travaillé pour avoir l'air tour à tour candide, coquine ou sérieuse, avait des effets ravageurs sur les étudiants qui éprouvaient le besoin de tirer leur coup – les hormones ont leur raison que la raison ne connaît point.

C'est ainsi que, repassant dans notre chambre du campus entre deux cours, je l'avais surprise plusieurs fois en pleine action. Le pire, qui m'indiquait bien la gravité de mon état glaciaire, c'est que je trouvais cela plutôt beau, cette grande fille élancée aux seins opulents et fermes, bien cambrée, chevauchant un garçon en posant les mains sur son torse en guise d'appui, faisant venir son cul parfait de haut en bas sur un sexe érigé, qui apparaissait sporadiquement avant de s'enfoncer jusqu'à la garde entre les deux beaux globes bronzés.

Mais je trouvais cela beau comme on trouve belle une sculpture ou une scène de film tournée par un grand cinéaste. J'y restais extérieure, pure spectatrice ne me sentant pas concernée, ne pensant même pas à me joindre à eux alors que Cynthia et un de ses petits amis me le proposèrent explicitement une fois, car ils n'avaient pas décidé de s'interrompre à mon arrivée, étant trop près du but.

J'assistai alors, malgré moi, assise sur mon propre lit, à leur orgasme simultané qui les laissa pantelants. Cynthia était retombée sur le torse de son amant et, entre ses cheveux collés par la transpiration sur son front et sur ses tempes, elle me lança un regard de pur bonheur, de pure innocence, de pur plaisir, un regard où il n'y avait nulle perversité, nulle envie de me rendre jalouse, bien au contraire.

C'est pourquoi je ne fus pas surprise quand, un samedi soir alors que mes parents étaient de sortie et que nous regardions dans ma mansarde, collées l'une contre l'autre, un film de George Cukor, *Riches et célèbres*, je crois bien, en nous gavant de marshmallows, elle me dit :

— Tu ne trouves pas que je ressemble à Candice Bergen ?

Ce n'était pas faux et j'acquiesçai mollement, la bouche pleine de guimauve.

— Ce qui serait bien dans ce film, c'est qu'il y ait une scène de sexe entre Candice Bergen et Jacqueline Bisset, tu ne trouves pas ?

— Tu veux dire une scène… saphique ?

— Tu as de ces mots, Alice…, dit-elle en écartant le paquet de marshmallows pour me caresser les seins par-dessus ma nuisette en satin.

Je rougis.

— Tu n'as pas envie d'essayer ? Tu me fais dormir avec toi, je sens toute ta chaleur et tes jolies formes et je me dis qu'on pourrait peut-être faire l'amour, non ?

— Je… je…

— C'est le fait qu'on soit dans ta chambre d'enfant qui te gêne ?

— Non, mais je… enfin tu sais que suis encore vierge…

— Je ne vois pas le rapport.

Elle modifia sa position dans le lit, se mettant sur le côté pour mieux me voir, laissant sa tête reposer au creux d'une main tandis que de l'autre elle continuait à me caresser les seins d'un doigt, s'arrêtant parfois sur un de mes mamelons qui pointaient à travers le satin de ma nuisette.

— Tu voudrais d'abord faire cela avec un garçon?

— Oui.

— Je te propose un marché, dit-elle alors que je sentais sous les draps ses jambes s'entrelacer aux miennes et son pubis se rapprocher du mien.

Elle sentait bon le shampoing à la camomille et cette crème de nuit à la fraîcheur marine qui donnait à sa peau une fragrance de grand large. Je devinais, à une déglutition discrète, que sa bouche s'asséchait sous l'effet de l'excitation. Moi, comme les fois où je l'avais surprise avec des garçons, je la trouvais très belle, aussi belle que Daryl Hannah, Candice Bergen ou même Kim Basinger, mais je restais extérieure à la scène, spectatrice que semblait séparer du monde une vitre ou un miroir sans tain.

— C'est quoi ton marché? demandai-je.

— Tu me laisses te faire l'amour, tu me donnes du plaisir aussi, et je te trouve un garçon qui te libérera de ton pucelage, ma belle. Pas le grand amour, mais un type qui te conviendra.

— Je peux très bien le trouver toute seule!

— Ne me raconte pas d'histoires, Alice. Tu sais très bien que tu traverses, comment dis-tu?, une période glaciaire. Il serait peut-être temps que tu te dégèles!

Déjà, sa bouche aux lèvres gonflées se posait sur la mienne, ses cheveux blonds s'entremêlant à mes cheveux roux. Je ne voyais plus qu'un fragment d'écran, le haut de la tête de Candice Bergen.

Je repoussai doucement le visage de Cynthia :

— La lumière, il y a trop de lumière, Cynthia…

La lampe de chevet étant de son côté, elle se retourna pour l'éteindre, faisant jaillir un de ses seins sur le drap blanc. L'obscurité se fit, seulement troublée par la lueur bleutée et mouvante de l'écran.

Cynthia m'embrassa. Et elle m'embrassa très bien, de manière à la fois douce et énergique, liant sa langue à la mienne, tournant autour d'elle. Un baiser profond, lent mais sans mollesse. Elle vint à moitié sur moi, caressant mon visage, mon cou, mes seins, puis une de ses mains écarta le drap.

Je vis nos jambes entrelacées, ma nuisette qui remontait déjà très haut et laissait apparaître ma touffe rousse qui s'ouvrait presque malgré moi. Mais Cynthia n'attaqua pas d'emblée cette zone stratégique, comme l'auraient fait les garçons que j'avais connus jusque-là quand ils croyaient que c'était ainsi qu'ils me feraient plaisir d'emblée alors que je les trouvais toujours trop rapides.

Non, Cynthia préféra jouer, en tournant autour, traçant des dessins invisibles avec ses doigts sur mon ventre. Sa bouche avait quitté la mienne et suçait mes seins, passant alternativement de l'un à l'autre, et forçait presque malgré moi mes mamelons à s'ériger.

— Retire-moi cette nuisette, tu vois bien qu'elle ne cache plus rien.

Elle se recula, se retrouva à genoux sur le lit. Je devinais, malgré la pénombre, son regard amusé et plein d'un appétit rieur. À mon tour, je me dégageai et me mis à genoux, faisant passer ma nuisette par-dessus ma tête et la jetant à l'autre bout de la chambre. J'étais nue, sur ce lit, devant Cynthia qui avait, elle encore, sa tenue de nuit, un boxer de garçon et un T-shirt sans manche largement échancré aux armes de l'université de Jackson.

Elle s'en débarrassa et fut également intégralement nue. Nous nous sommes regardées un instant puis nous nous sommes jetées l'une sur l'autre, roulant sur le lit avant de tomber sur le sol dans un fou rire. Notre mêlée devint alors confuse et jouissive. L'obscurité ménageait ses surprises, je sentais tantôt sa bouche explorer mon sexe, tantôt s'attarder sous mon aisselle, tantôt à l'intérieur de mes cuisses et moi, sans trop comprendre, j'avais soudain la rondeur de ses fesses entre mes paumes, ma langue qui plongeait dans sa moiteur salée et je savais instinctivement où aller pour l'entendre gémir en se pinçant les lèvres. Son sexe avait le goût de sa peau, un goût océanique, iodé, que je trouvais agréable.

Nous avons cessé nos jeux, essoufflées, épuisées, au moment où j'entendis la vieille Ford de mes parents entrer dans le garage. Le film de Cukor était terminé depuis longtemps, remplacé par un western en noir et blanc dont les coups de feu et les cris d'Indiens paraissaient déplacés par rapport à la scène que je découvris en rallumant la lampe de chevet. Deux jeunes filles, une blonde et une rousse, décoiffées, les joues rouges, les sexes offerts et humides, avec l'odeur mélangée de leurs plaisirs qui flottait dans la chambre et qu'elles pouvaient humer sur leurs doigts et leurs lèvres.

Nous reprenions lentement notre souffle, nos poitrines se soulevaient à un rythme moins rapide et nous sommes remontées sur le lit, toujours nues, nous allongeant l'une à côté de l'autre comme deux gisantes de l'église Saint-Patrick, à South Isola.

Au rez-de-chaussée, mes parents parlaient bas, croyant sans doute que nous dormions.

Cynthia fit pivoter mon radio réveil sur la table de nuit.

— Tu sais quelle heure il est?

— Non…

— 2 h 45. Tu sais ce que ça veut dire? Que nous avons fait l'amour pendant plus de trois heures!

J'avais du mal à la croire. Je m'étais vraiment trouvée hors du temps.

— Tu as aimé? me demanda Cynthia, en regardant le plafond de ma chambre où il y avait encore un Pierrot mélancolique, qui datait de mes huit ans, suspendu à une poutre.

Que pouvais-je répondre? Oui, bien sûr. J'avais éprouvé beaucoup de plaisir, et sans aucune culpabilité. Cynthia s'était montrée une amante experte et douce. Avec ce qu'il fallait de perversion. J'avais joui au moins quatre ou cinq fois et, pendant l'ensemble de notre étreinte, le plaisir avait été constant. Il y avait eu aussi cette réciprocité et ces délicates caresses que je n'avais pas connues avec les quelques garçons que j'avais sucés et qui m'avaient eux aussi caressée.

Ce plaisir, pourtant, me semblait étrangement incomplet. Pas seulement parce qu'il n'y avait pas eu cette présence d'un sexe masculin, dur, qui s'impose comme une délicieuse menace, mais aussi parce que je n'avais ressenti chez Cynthia aucun désir de me dominer, de rechercher d'autre sensation avec moi que ce plaisir presque calmant. C'était certes un plaisir plus élaboré que celui que je connaissais quand il m'arrivait, presque mécaniquement, de me masturber sous la douche ou dans un bain chaud, histoire de sentir mes muscles se dénouer et mon corps se détendre avant le sommeil. Et je n'avais pas éprouvé cette violence que je ressentais lorsque ma fabrique à fantasmes fonctionnait encore. Je tentai d'expliquer tout cela à Cynthia qui le comprit très bien :

— Oui, je vois ce que tu veux dire, Alice. Je ne crois pas que nous soyons lesbiennes, en fait. Le plaisir que nous nous sommes apporté n'est pas celui qui fait le plus jouir.

Mes parents avaient fini leurs ablutions et on n'entendait plus rien que les craquements du bois. Cynthia continua, en caressant machinalement mon ventre :

— Mes parents m'ont mise dans un lycée chic pour jeunes filles, à Omaha, un truc très sérieux avec uniforme et tout. Pour eux, et les autres parents, ça devait nous protéger de la promiscuité avec les garçons. Les deux tiers des filles avaient l'air de petites filles modèles – et l'étaient vraiment. Elles semblaient, même à dix-sept ans, totalement étrangères à la sexualité. Pour le tiers restant, je crois que cette absence de mixité avait exactement l'effet inverse. Nous étions devenues complètement obsédées et l'ensemble formait un chaudron bouillonnant. Beaucoup étaient en internat car ce lycée recrutait dans tout le Nebraska. Moi, je rentrais chez moi mais, comme d'autres, ça ne m'empêchait pas de monter dans les chambres des pensionnaires et de nous amuser un peu, surtout quand on s'était chauffées en voyant nos corps sous la douche après les cours de sport. Tu sais, je ne crois pas que je sois homo. Entre un mec qui m'attire et une fille qui m'attire, je choisis toujours le mec. Mais s'il n'y a pas de mec et que la fille veut bien… Alors, pourquoi pas ?

— Comme pour cette nuit ? ai-je dit en souriant

— Comme pour cette nuit. Tu sais, dans ce lycée, les filles qui s'amusaient entre elles étaient en même temps celles qui, à l'extérieur, avaient les plus beaux mecs, les plus intéressants, et avaient avec eux les relations les plus satisfaisantes à tous les points de vue. Équilibrées et tout. Tandis que les petites filles modèles sortaient soit avec des puceaux ennuyeux, soit tombaient sur de vrais manipulateurs qui les transformaient en serpillières, ces types qu'on appelle des pervers narcissiques et qui prennent leur pied à harceler moralement leur copine ou leur femme jusqu'à ce qu'elle se sente comme une moins-que-rien.

— Tu es en train de me faire l'apologie de l'initiation homosexuelle, Cynthia!

Elle réprima un petit sourire.

— Pas du tout, je crois juste qu'il faut se connaître, qu'une expérience, ou deux ou trois, avec une fille, même si on est hétéro, doit faire partie du bagage minimal d'une femme pour affronter l'existence, comme savoir changer un pneu, parler une langue étrangère ou préparer un Alexandra sans forcer sur la crème fraîche, afin de ne pas flinguer le goût du cognac mais, au contraire, le sublimer. Moi, je sais d'autant mieux ce que je peux offrir à un homme que je connais très bien mon corps et celui des filles…

— Théorie intéressante, Cynthia…

Je ne savais pas encore que le Prince développerait des années plus tard, et de manière encore plus élaborée, des théories similaires valables pour les deux sexes.

Nos corps avaient beau être apaisés par le plaisir, le sommeil ne venait pas. Et Cynthia, qui avait maintenant posé sa tête sur mon épaule, continuait à dévider ses souvenirs:

— Au lycée, les filles qui faisaient l'amour entre elles n'éprouvaient pas, Dieu merci, de culpabilité ni de honte. Au contraire, on s'en amusait, comme si nous avions inventé une discipline particulière. On avait même créé une unité de mesure allant de 1 à 10 qu'on appelait le QL, ou quotient lesbien. On s'amusait à noter les stars ou les profs femmes. Une note élevée signifiait que notre attirance était forte! Moi, contrairement aux autres, Madonna ne m'a jamais fait fantasmer. Je ne lui accordais qu'un QL de 2, 3 à la rigueur quand elle chantait «Like a Virgin». Mais je me souviens d'une prof d'histoire à qui je filais 9. J'en étais folle!

— Et moi, demandai-je, quel QL me donnes-tu?

Je devinai le sourire de Cynthia dans le noir.

— Pour toi, ma chère Alice, je dirais 7 ou 8. Et toi, dis-moi, qui gratifierais-tu du plus fort QL?

Je réfléchis un instant. En toute honnêteté, je ne voyais que Jennifer Coyle, mais était-ce un désir homosexuel? N'était-ce pas, plutôt, le désir d'être à sa place, entre deux sexes d'homme, d'être fouettée par une baguette qui aurait accentué ma soumission dans une douleur acceptée, voulue, une douleur qui aurait décuplé mon plaisir?

Je faillis parler de Jennifer Coyle à Cynthia. Mais j'aurais été obligée, de fil en aiguille, de tout lui raconter, mes fantasmes, Joséphine Simpson, l'officier de police Blisko. Non, décidément, je ne m'en sentais pas l'envie, même après le moment de volupté que nous venions de connaître. Elle aurait pris tout cela pour le délire d'une jeune vierge en manque, ce qui n'était pas le cas. Alors, je me défilai et répliquai:

— À part toi, Cynthia, à qui je donne 7 ou 8, sérieusement, je ne vois pas.

— Tu es adorable, Alice, me répondit-elle d'une voix ensommeillée.

Sa tête quitta mon épaule, elle m'embrassa d'un baiser léger et se retourna avant de s'endormir presque instantanément. J'éteignis la télé. Ma chambre sombra dans une obscurité complète et je suivis bientôt Cynthia dans les bras de Morphée.

19

Ce fut le dernier week-end que Cynthia passa à la maison et la seule fois que nous fîmes l'amour. Nous sentions bien toutes les deux que ce qui s'était passé valait surtout parce que cela avait été une expérience unique.

Cela ne nous empêcha pas de rester les meilleures amies du monde. On partageait toujours la même chambre, on travaillait ensemble, on sortait dans les bars et on se racontait un tas de détails sur nos vies, moi évitant juste de lui dire ce qui avait précédé ma période glaciaire. J'appris ainsi plein de choses sur elle.

Elle était la petite dernière d'une famille de cinq et m'avait confié que ses parents, depuis qu'ils se retrouvaient en tête à tête, ne s'entendaient plus vraiment comme avant. La première fois où elle avait pu rentrer chez elle après la rentrée universitaire, elle avait surpris sa mère en train de tenir une conversation vraiment érotique au téléphone. Elle n'avait pas cherché à espionner mais, en ressortant de sa chambre et en passant devant celle de ses parents, elle avait entendu un murmure.

Elle avait été étonnée car ce n'était pas l'habitude de sa mère de se trouver dans la chambre conjugale en pleine journée. Sa mère était ce que Cynthia appelait, avec humour, une DHTMW, une Desperate Housewife

Typique du Middle West. Et la grande angoisse de Cynthia était de devenir une DHTMW. La DHTMW, m'expliquait-elle, avait un emploi du temps aussi invariable que vide où alternaient les cocktails chez les voisins, les après-midi au Country Club à ragoter autour de la piscine en buvant des mojitos, les ventes de charité organisées par le pasteur de la paroisse, les galas de bienfaisance à l'hôtel de ville, les dîners en l'honneur d'une personnalité politique ou artistique de passage à Omaha, les soins interminables dans le meilleur institut de beauté, les deux séances hebdomadaires chez un analyste, les stages de méditation transcendantale chez un gourou qui se présentait comme la réincarnation d'un grand chef indien et la peinture sur soie. Entre ces multiples activités, continuait Cynthia, sa mère trouvait quand même le moyen de reprocher à son mari de n'être jamais à la maison, de la laisser rouler dans une décapotable suédoise de dix ans d'âge et, surtout, elle ne cessait de donner des conseils et des ordres à tout le monde sur le mode agressif/hystérique typique de la DHTMW.

Donc, quand elle avait entendu le murmure derrière la porte, Cynthia avait machinalement posé l'oreille contre la serrure. Aucun doute possible : sa mère avait un amant. À qui d'autre qu'un amant, en effet, pouvait-on dire : « J'ai hâte de te revoir, de te prendre dans ma bouche. Oui, je mettrai ce string que tu m'as offert. D'accord, je serai à 15 heures au motel Carré d'As. Oui, je veux que tu sois nu en m'attendant, que tu gardes ton stetson et, surtout, que tu retrouves ces délicieuses insultes que tu avais proférées la dernière fois, quand tu m'as prise en levrette. »

En ce mercredi bleu d'hiver, c'est à tout ça que je pensais dans l'impressionnante bibliothèque de l'université

Jackson, à la vie de Cynthia, à notre nuit d'amour et aussi à cette période glaciaire qui commençait à me peser. J'en étais arrivée à me demander si, finalement, tout cela n'était pas dû au fait que je m'étais bercée d'illusions. Peut-être était-il temps que je rencontre un garçon et que je connaisse une sexualité normale, banale, qui avait l'air de satisfaire la plupart des êtres humains.

J'interrompis alors Cynthia dans sa dissertation.

— Qu'est-ce que tu veux, Alice?

— Allons faire une pause à la cafète, il faut que je te parle.

— Je te rappelle que nous n'avons que jusqu'à vendredi pour rendre cette fichue dissertation…

— S'il te plaît…

Elle me regarda de son beau regard bleu, le regard d'une fille pour qui tout allait de soi, des études brillantes, une sexualité libérée et sans problèmes, sans culpabilité, sans mystère.

À la cafétéria, après avoir demandé du café et des bagels au sésame fourrés de crème, nous nous sommes retrouvées dans un box, près d'une vitre par laquelle on voyait un gros soleil rouge qui commençait à descendre derrière les gratte-ciel.

— Alors, qu'est-ce que tu veux, ma grande? m'interrogea Cynthia

— Tu te souviens de la promesse que tu m'as faite, chez moi, quand nous avons, enfin quand nous avons…

— Couché ensemble?

Je dus rougir malgré moi alors que je n'éprouvais aucune honte pour ce que nous avions fait.

— Oui, c'est ça… Tu m'avais promis que tu m'aiderais à trouver un garçon pour, enfin, que j'aille jusqu'au bout…

Elle rit tout en essuyant du coin d'une serviette en papier un peu de crème du bagel qui lui était restée au coin de la bouche.

— Tu te décides enfin…

— Ne te moque pas, Cynthia…

— Mais je ne me moque pas. J'ai même ce qu'il te faut. Et dire que tu ne l'as pas remarqué. Il y a un étudiant de troisième année qui te dévore des yeux depuis des semaines !

— Qui ?

— Le garçon qui bosse à temps partiel à la bibliothèque.

— Le grand brun à lunettes…

— Oui, tu sais qu'il a déjà publié des recueils de poésie ? Il s'appelle Richard Brodski.

Non, je ne l'avais pas remarqué.

— Il en pince pour toi, je t'assure. Quand tu vas chercher des livres au guichet, il essaie désespérément d'attirer ton regard. Et, alors que ce n'est pas son genre, j'ai remarqué qu'il est toujours dans les pubs où nous nous retrouvons le vendredi soir. Il a un côté beau ténébreux et reste seul au bar. Ou, quand il est accompagné, il donne l'impression de suivre les conversations d'un air machinal.

— Comment sais-tu que ce n'est pas toi qu'il a en ligne de mire ?

Cynthia éclata d'un rire franc qui fit se retourner quelques usagers de la cafétéria.

— Mais parce qu'il m'en a parlé, Alice. Il a vu que l'on était amies et il m'en a parlé, au détour d'un couloir. Il ne sait pas comment t'aborder. Tu ne t'en rends pas compte, mais tu es une vraie reine du silence, dans cette fac. La première année mystérieuse, ni bêcheuse ni coincée. On a juste l'impression que tu t'entoures d'une aura, d'un voile protecteur. Défense de toucher. À part moi, tu ne fréquentes personne, tu ne te lies pas, tu ne fais partie d'aucune association. Il y a ceux que ça agace mais aussi ceux que ça fascine. Car tu es très belle, Alice. Et Richard Brodski fait partie de ceux que tu fascines. Tiens, moi qui suis une peste au courant de tous les ragots, je peux même te dire qu'il a quitté sa petite amie alors qu'ils étaient ensemble depuis deux ans. Elle est inconsolable, depuis.

— C'est lui qui te l'a dit?

— Oui, lui et radio couloir. Il m'a demandé comment tu étais, pourquoi tu paraissais si froide. Je ne lui ai pas raconté notre petite séance chez tes parents pour démentir, ne t'inquiète pas, mais j'ai eu du mal à ne pas sourire. Vraiment…

Richard Brodski.

Je le visualisais mieux maintenant. Un grand brun, très mince, toujours vêtu d'un costume noir très strict avec une chemise blanche et une cravate sombre. Et des lunettes de vue Ray-Ban en écaille. On aurait dit, au choix, un truand de chez Tarantino ou un conseiller du président Kennedy au moment de la crise des missiles. Richard Brodski, un poète, en plus. Cela me ramenait à Sam Atkinson et à mon fantasme de dépucelage dans une auberge du Connecticut, au bord de la mer, avec un écrivain célèbre. Je redevenais Alice la fleur bleue, plutôt qu'Alice l'échevelée, celle qui attendait du sexe un je-ne-sais-quoi d'infiniment plus pervers, délicieux et ouvrant des horizons nouveaux à la compréhension du monde.

En terminant mon bagel, je me demandai si, finalement, ce n'était pas la solution. Richard Brodski. Il plairait à mes parents : un poète, plutôt qu'un trader ou un avocat, ça leur rappellerait leur jeunesse. Et je ne pouvais pas indéfiniment rester vierge.

Tout alla assez vite. En fin de journée, quand nous eûmes terminé notre dissertation, Cynthia s'éclipsa en me lançant malicieusement :

— Je te laisse rapporter les livres…

J'étais parmi les derniers étudiants et Richard Brodski n'était pas surchargé. En entrant les cotes des livres dans l'ordinateur, il dut sentir que j'étais disponible et nous avons entamé une conversation d'abord timide, puis qui se fit plus précise. Il ne souriait pas beaucoup, avait l'air terriblement sérieux mais il était doté, somme toute, un physique agréable.

Il m'invita à dîner le soir même dans un restaurant coréen, à l'angle de la 109e et de Richmond, à quelques encablures du nord de Hancock Park. Ma liaison avec lui ne fut pas désagréable, mais que puis-je en dire d'autre ? Nous avons fait l'amour le premier soir. Nous avons à peine touché à la fondue coréenne et c'est surtout lui qui a parlé. De Boston, de la poésie américaine contemporaine. Il louait un studio minuscule à quelques rues. À un moment, j'avais pensé le ramener dans ma chambre du campus, mais je m'étais dit que, pour une première fois, je n'avais pas vraiment envie d'être surprise par Cynthia ou de devoir lui demander de quitter les lieux. Elle aurait sans doute accepté, mais je ne me sentais pas prête à subir son ironie, même gentille, ni ses sous-entendus.

Le studio de Richard était à son image, propre et bien rangé, comme s'il s'était donné pour but de ne pas sombrer dans les clichés d'habitude associés aux poètes : des types qui buvaient trop, vivaient dans des porcheries et avaient une hygiène douteuse.

— Tu veux boire un verre ? me demanda-t-il, alors qu'il faisait descendre un lit encastré dans le mur pour gagner de la place.

Je répondis par l'affirmative pour dissiper la gêne, et il sortit une bouteille de vin français de derrière le bar de sa kitchenette. Nous le bûmes dans des gobelets en plastique, ce qui était dommage car il était très bon.

— C'est un vin de Loire, précisa-t-il de sa voix grave. Mon père est importateur de vins étrangers et possède plusieurs caves à Boston, notamment une sur Beacon Hill.

Sautant du coq à l'âne, il dit sans transition :

— Tu as dû connaître beaucoup d'autres garçons, Alice. Je ne veux pas dire que tu es légère, non, mais…

Il s'embrouilla un peu et je compris qu'il était aussi gêné que moi. Je jouai donc franc-jeu.

— Juste des flirts, Richard.

Il parut ému.

— Tu me fais un don extraordinaire. Tu es certaine de bien vouloir ? Tu sais, si tu veux, on peut attendre.

Quel idiot, pensai-je, non mais quel idiot ! Je me souvenais avec bonheur de l'époque où mes fantasmes étaient habités par le désir d'être dominée, de sentir le cuir se mêler à la soie dans des étreintes à la fois sauvages et élaborées, où les ordres cinglaient comme les mains qui fessaient, les ceintures qui lacéraient, où j'avais envie que l'on m'attache et que l'on m'offre à un sexe impérieux.

Il se décida à se déshabiller, retirant sa veste, sa cravate et sa chemise, qu'il rangea soigneusement. Puis ce fut au tour de son pantalon. J'éprouvais un sentiment un peu triste, comme s'il se préparait à un acte aussi banal que de se brosser les dents. Je n'éprouvais, à vrai dire, aucune excitation particulière. J'espérais qu'il se montrerait un peu moins… comment dire… un peu moins méthodique quand il passerait à l'action.

Cela s'arrangea un peu quand il entreprit de me déshabiller. Je regardais son érection. Son sexe était fin et long, bien dessiné, comme sur une planche anatomique. Une fois nue, je voulus retrouver la sensation d'être dominée que j'avais connue à mon époque préglaciaire et je m'agenouillai devant lui, pour le prendre dans ma bouche.

Il eut l'air surpris, troublé, ému. Ce n'était pas mon cas. Ma bouche allait et venait sur son membre, j'agaçais de ma langue son gland où perlaient déjà des gouttes annonciatrices de son plaisir et, tout d'un coup, sans que j'aie pu anticiper, il jouit d'un seul coup, éclaboussant mon visage et mes seins.

— Je suis désolé, dit-il d'une voix penaude, ce qui faillit me faire rire. Mais tu as fait ça tellement naturellement, avec tellement d'amour.

Il me releva, m'essuya en tirant un bout de drap. Il avait gardé ses lunettes, que je lui retirai, et je me rendis compte qu'il avait de beaux yeux noisette ourlés de longs cils, presque comme ceux d'une fille.

— Ce n'est pas grave, Richard, je voulais t'honorer.

Il se remit à bander presque instantanément et ce fut lui qui s'agenouilla à mes pieds, enfouissant son visage dans ma toison rousse. Il fit preuve d'un certain art dans le cunnilingus, ce qui m'excita légèrement, mais, là encore, rien à voir avec ce que j'attendais du sexe. Néanmoins, j'éprouvai un orgasme qui me fit me cambrer et serrer sa tête contre mon entrejambe.

C'est alors qu'avec une vigueur que ne laissait pas soupçonner sa constitution plutôt frêle il me souleva et me déposa sur son lit, dont le sommier métallique grinça un peu. Il enfila avec une certaine dextérité un préservatif, puis il vint sur moi. J'écartai les jambes, les nouai autour de sa taille, remontant le plus haut possible sur son dos pour ressentir au plus profond cette sensation d'un sexe en moi et, enfin, tout en m'embrassant, il me pénétra.

Je ne ressentis qu'une très légère douleur qui se mua, assez vite, en une agréable sensation. Cela n'alla pas, en ce qui me concernait, jusqu'à l'orgasme mais lui, au bout de quelques minutes, se tendit comme un arc et jouit en moi. Je poussai des gémissements pour le rassurer et il retomba sur le côté, essoufflé.

Ce n'était donc que ça. Bien sûr ce n'était pas si mal mais j'étais tout de même un peu déçue. Peut-être, me disais-je, que le sexe, c'est simplement ça. Mon rêve d'être projetée dans un autre univers grâce au plaisir n'avait peut-être été qu'une illusion de l'adolescence.

Bill Reich, mon analyste, m'a dit par la suite que c'était le sentiment habituellement partagé par nombre de femmes et d'hommes, qui pouvait se résumer de la façon suivante : « Le sexe, ce n'est pas si mal, ça détend, mais enfin il n'y a tout de même pas de quoi en faire tout un plat. » Voilà pourquoi je bénis chaque jour qui passe d'avoir connu l'Initiation et de vivre sous le règne voluptueux du Prince.

Dans le studio, en regardant les posters d'Edgar Poe, de Raymond Carver et de Brautigan, alors que Richard reprenait son souffle, j'en étais loin. Mais j'étais reconnaissante envers Richard de m'avoir fait perdre ma virginité dans ce studio romantique. C'est pour cela que je me soulevai sur un coude, l'embrassai doucement et lui dis : « C'était très bien. » Et, d'une certaine manière, c'était vrai. En revanche, il me surprit quand il me dit : « Je crois bien que je t'aime, Alice. »

À partir de ce moment, pendant dix-huit mois, je fus de toutes les réunions littéraires de l'université, de toutes les soirées poétiques d'avant-garde dans les friches industrielles de Brookside ou Five Points, de toutes les signatures chez les grands éditeurs ou les librairies spécialisées. Je rencontrais d'autres garçons et d'autres filles, dans le genre de Richard, capables de discuter des heures sur un poème paru dans une revue tirée à deux cents exemplaires. Ça déclamait beaucoup et ça se prenait au sérieux. Je fus amusée de croiser deux ou trois fois Sam Atkinson, en compagnie d'une fille assez terne et prétentieuse qui bossait dans une maison d'édition du côté de Tribeca.

Richard Brodski plut beaucoup à mes parents et je plus beaucoup aux siens quand je fus invitée à Boston. On trouvait que l'on formait un beau couple. Richard commençait à se faire un petit nom et, moi, je réussissais très bien dans mes études de sciences politiques, au point que des chercheurs de tête envoyés par des partis m'avaient repérée et offert un travail dès que j'aurais obtenu mon diplôme en communication politique.

Je quittai pourtant Richard après le deuxième été passé ensemble. D'abord parce que pour la deuxième fois nous avions consacré nos vacances à traîner dans des villes perdues où se déroulaient des festivals de poésie et de théâtre, avec lectures et débats à la clé. Ensuite parce qu'on avait proposé à Richard un poste d'enseignant en écriture créative dans le Mississippi et que je n'avais aucune envie de quitter la ville dont je pressentais qu'elle avait encore tellement à m'apporter.

Richard eut de la peine, moi aussi, mais moins que lui. C'était d'autant plus dommage que nous nous entendions plutôt bien sexuellement. Nous faisions l'amour plusieurs fois par semaine et il m'arrivait d'atteindre l'orgasme. Il était un amant attentionné – quoique sans grande imagination. Je fus étonnée, par exemple, qu'il ne me proposât jamais la sodomie. Non pas que l'idée m'excitât *a priori*, mais tout de même, j'étais perplexe à l'idée que lui, le poète, ne comprenne pas que certaines filles, dont je suis, ont envie de se donner entièrement à l'homme qu'elles aiment, qu'elles veulent sentir des barres d'acier bouillant érigées au tréfonds d'elles-mêmes, dans un plaisir mêlé de douleur, dans un plaisir qui est plaisir parce qu'il est aussi douleur.

Richard insista pour que je le suive dans le Mississippi mais je tins bon. Il prit acte de mon refus définitif au cours d'un week-end chez ses parents, à Boston. Nous dînions de homards dans un restaurant du port et je lui dis :

— Dans cinq ans, notre vie ressemblerait à *Qui a peur de Virginia Woolf?* avec toi dans le rôle de Richard Burton et moi dans celui d'Elisabeth Taylor.

20

Après cette rupture, j'eus d'autres amants, mais rien de durable.

Les années passèrent à une vitesse effrayante. Mes parents prirent leur retraite en Pennsylvanie, je sortis diplômée de l'université de Jackson, tout comme Cynthia. Avec mention, s'il vous plaît. On savait que l'on vivait nos dernières journées ensemble. Nos promesses de nous revoir, nos serments de fidélité, nous comprenions sans nous le dire, l'une comme l'autre, qu'ils tiendraient quelques mois, peut-être quelques années, mais qu'ils s'effilocheraient à la longue, à cause du boulot, des enfants, des distances, des aléas de la vie… Je mesurais réellement que Cynthia avait été ce qu'on appelle une bonne copine, mais aussi une tendre amie, la personne idéale, en fait, pour traverser cette étrange période de ma vie qui n'était pourtant pas encore terminée, même si je m'étais accoutumée à cette sexualité normale et que le souvenir de Jennifer Coyle, de Blisko et de Joséphine Simpson s'était estompé.

Après la remise des diplômes, on décida de s'offrir une soirée d'adieu mémorable, une fête à tout casser. On fit ainsi la tournée des bars et des boîtes avec une douzaine d'autres étudiants. Les *dance floors* succédèrent aux *dance floors*, les bars aux bars, les taxis aux taxis, et l'ivresse rendait plus agréables encore la douceur de l'air et les senteurs végétales qui émanaient de Hancock Park, donnant cette illusion si poétique que la nature, dans toute son innocence première, se marie et fusionne avec l'architecture monumentale de la ville.

Jamais, d'ailleurs, la ville ne me parut aussi belle que cette nuit-là, et j'étais heureuse de savoir que j'allais pouvoir y vivre. Je remerciais mes parents qui, après avoir vendu leur maison de Brookside, m'avaient acheté un minuscule appartement, mais un appartement tout de même, dans mon quartier natal, juste au-dessus du restaurant Ethan Goldberg, qui préparait toujours les meilleurs *delikatessen* de la ville. Je ne serais pas, comme tant d'autres, obligée de m'exiler dans des banlieues lointaines, et d'effectuer des heures de route ou de transports en commun pour aller travailler.

Cynthia, elle, allait retourner dans le Nebraska. Entre autres grâce aux relations de son père, elle avait déjà trouvé un emploi auprès d'un cabinet de lobbying politique. Promouvoir l'égalité des droits entre les hommes et les femmes et militer pour l'entrée des gays dans les forces armées feraient désormais partie de son quotidien.

Cynthia et moi dansâmes à en perdre haleine, et il nous arriva de nous embrasser à pleine bouche sous les acclamations des autres danseurs. Nous étions belles, nous étions jeunes, nous avions un bel avenir professionnel et la perspective prochaine d'un salaire annuel à six chiffres. Après la fermeture de la dernière boîte, nous étions encore cinq ou six et nous décidâmes de reprendre des taxis pour nous rendre, sur de vagues indications, à une fête lointaine, dans l'extrême nord d'Isola. On eut du mal à trouver et, quand on y arriva, l'aube s'esquissait. L'ambiance était encore bouillante. Des couples dansaient très serrés, d'autres faisaient un peu plus que flirter. J'ai vu, à un moment une fille complètement nue, un bandeau dans les cheveux, venir sans façon chercher à boire sur une des grandes tables basses, comme si elle était seule au monde. Je remarquai sur son dos quelques zébrures et son sourire presque extatique. Elle avait l'air ailleurs mais cela n'avait rien à voir avec la drogue. J'imaginais plutôt qu'elle devait prendre un pied d'enfer, quelque part dans une des chambres de cet appartement qui paraissait gigantesque. À un moment, nous fûmes abordées, Cynthia et moi, par un homme d'une trentaine d'années, musclé, vêtu d'un simple jean et d'un pull ras du cou. Il émanait de lui une sensation de force, de certitude et, aussi, de violence contenue.

— Lui, me chuchota Cynthia à l'oreille, c'est soit un flic, soit un truand.

Elle ne se trompait pas. Il se présenta comme le lieutenant Blisko, du 39ᵉ District. Je sursautai à l'énoncé de son nom et observai plus attentivement son visage taillé à la serpe. Il était plus petit que le Blisko que je connaissais, mais il possédait quelque chose d'identique dans le regard. Peut-être une coïncidence…

Il invita Cynthia à danser, puis moi, puis nous deux ensemble. La musique rendait impossible toute conversation et nous nous retrouvâmes dans la cuisine, pour boire des bières fraîches dont plusieurs immenses réfrigérateurs chromés semblaient regorger.

— On est chez qui, exactement ? demandai-je.

Il vida sa boîte de Bud d'une seule lampée.

— Un type de la Bourse, un de ces traders qui fêtent chaque fois leur nouveau million en donnant ce genre d'orgie.

— Et qu'est-ce que vous faites là ?

— J'assure sa protection.

— C'est-à-dire ?

— Je fais des heures sup, si vous préférez. Avec quelques gars à moi du 39e dans la salle. On filtre à l'entrée, le plus discrètement possible. Vous ne le savez pas, mais vous et votre petite bande, on vous a repérés dès que vous êtes entrés et on a vu que vous étiez clean… Mais je commence à m'ennuyer, pas vous les filles?

Cynthia répondit à ma place et, à ma grande surprise, annonça:

— Si tu veux coucher, je te préviens, c'est avec ma copine ou c'est aucune de nous deux.

Il opina du chef.

— Vous êtes des coquines, ça me plaît.

On quitta l'appartement. La foule était telle que personne ne remarqua notre départ.

— Et votre surveillance?

— C'est rodé. Mes gars resteront jusqu'à la fermeture et, en cas de problème, ils peuvent me joindre.

Dans la rue, nous avons effectué quelques pas avant de monter dans une Lexus d'un modèle ancien, mais une Lexus tout de même. Les heures sup pour surveiller les partouzes des friqués de la Bourse, apparemment, ça rapportait.

Le lieutenant de police Blisko habitait un appartement qui lui ressemblait: propre, net, carré. On aurait aussi bien pu être dans une chambre du Marriott. La façon dont il nous fit l'amour fut à l'image de l'homme, efficace. Nous nous déshabillâmes pour nous retrouver sur son grand lit. Je sentis sa bouche forcer mes lèvres et ça me plut. Puis une espèce de triangle prit forme: alors que je le suçais, il suçait Cynthia qui, elle-même, avait la tête enfouie dans mes cuisses.

Il y avait longtemps que faire l'amour ne m'avait pas autant plu. J'aurais pourtant aimé que le lieutenant Blisko se montre un peu plus directif, bestial, mais je n'osai pas lui demander de me fouetter ou de m'attacher, par peur de passer pour une salope obsédée.

Il prit d'abord Cynthia en levrette pendant que moi, derrière le dos musclé du lieutenant, je lui caressais les épaules. Je pouvais voir en surplomb sa queue aller et venir de plus en plus vite dans le sexe de Cynthia, dont aucun détail ne m'échappait. Cynthia jouit en criant et retomba à plat ventre, essoufflée, heureuse. L'officier se tourna vers moi, il bandait toujours aussi fort. Je fis le geste de me pencher vers ce sexe encore luisant de la cyprine de Cynthia, mais il me releva la tête, en soulevant mon menton. Au fond de moi, j'aurais préféré qu'il accomplisse ce geste en me tirant par les cheveux. Sans doute l'ancienne Alice s'était-elle vaguement réveillée au nom de Blisko.

— Pas de ça, mademoiselle, une pipe ne me dit rien. J'ai envie de vous prendre, maintenant.

Il me repoussa en arrière, regarda mon corps un instant, puis entra en moi, ouverte, offerte. J'aurais aimé qu'il écrase son corps sur le mien, sentir son poids peser sur moi, me couper la respiration, me donner l'impression que j'étais prise dans un étau, mais il me fit l'amour comme il devait enchaîner les séries de pompes. J'encaissais ces coups de boutoir en me concentrant sur le souvenir de l'autre Blisko, dont l'image restait floue. Je m'aperçus soudain que Cynthia était à mes côtés, me caressant les seins et m'embrassant, et je finis par jouir, en ayant la sensation que sa queue grossissait en moi ou que mes muscles intimes se resserraient spasmodiquement.

Quand nous avons arrêté nos jeux, le soleil brillait.

On se succéda à la douche. En attendant mon tour, je traînai dans l'appartement et examinai sa bibliothèque impeccablement bien rangée, qui contenait la collection complète des romans d'Ed McBain. Quand j'entrai dans la cuisine, propre et nette comme le reste de l'appartement, le lieutenant Blisko faisait griller des toasts. La table de la cuisine était couverte de trois paquets de céréales de marques différentes et d'un bidon de cinq litres de jus d'orange Tropicana. La scène aurait eu tout d'un banal petit-déjeuner si le policier, qui s'était vêtu d'un jean noir et d'un nouveau pull ras du cou assorti, n'avait d'une part son arme dans un holster d'épaule et, d'autre part, à genoux devant lui, Cynthia qui lui prodiguait une fellation. Plus encore que les instants passés sur son lit, cette pipe inattendue dans ce décor de paix domestique, avec le soleil qui inondait la pièce, déclencha en moi un frémissement qui me rappela mon état à l'époque du lycée Mason. Placée comme j'étais, je ne pouvais voir que la chevelure blonde de Cynthia qui s'agitait et le sourire du lieutenant Blisko qui fermait les yeux, un toast à la main. Mon entrée ne les perturba pas plus que cela. Le lieutenant Blisko ouvrit simplement les yeux au moment où il jouit.

Cynthia se redressa pendant qu'il se rajustait, se retourna vers moi en s'essuyant les lèvres et dit, juste avant d'avaler un grand verre de jus d'orange :

— Il me semblait normal de rendre un dernier service à un vaillant membre des forces de police avant qu'il n'entame une longue journée à combattre le crime.

Le lieutenant Blisko sourit et resta debout, contre l'évier, en buvant son mug de café. Sa ressemblance avec l'acteur Ed Harris m'apparut brusquement comme une évidence. Malgré tout, il avait quelque chose du Blisko de mes treize ans, du Blisko de mes fantasmes, du Blisko qui nous avait fait subir, à William Blake et moi, des sévices que j'avais trouvés délicieux, déclenchant une cascade d'émotions que je recherchais vainement depuis.

Je décidai d'en avoir le cœur net.

— Vous avez un lien de parenté avec un Blisko qui est aussi policier, ou qui l'était, au 87ᵉ District?

Les yeux du policier cillèrent imperceptiblement.

— Vous le connaissez?

Ma mère disait, et je ne sais d'où elle tenait ça, qu'il n'y avait que trois personnes qui répondaient à des questions par d'autres questions : les maris infidèles, les juifs ashkénazes et les policiers. Et ajoutait-elle : «D'ailleurs, rien n'empêche d'être les trois à la fois.» Le lieutenant Blisko reposa son mug sur le plan de travail en inox et me scruta un instant. Je pensais que j'avais sucé ce type, qu'il m'avait prise, qu'il avait fait la même chose avec ma meilleure copine et que, malgré tout ça, j'étais devenue une suspecte.

— Il était venu constater un cambriolage chez mes parents.

— Il y a pas mal de Blisko dans la police de la ville, vous savez, Alice. Vous parlez peut-être de Stan Blisko. Mais il a quitté le service.

Puis Cynthia a changé de conversation. Malgré son caractère anodin, je voyais de temps à autre, alors que je croquais mes céréales, le regard du lieutenant Blisko me fixer par-dessus son mug de café. Un regard qui n'était pas dupe et qui devinait que mon contact avec son homonyme ne s'était pas limité à ce que j'avais raconté.

21

Après cette nuit de dérive qui s'était terminée chez le lieutenant Blisko, j'avais passé une partie de l'été en ville pour aménager mon nouvel appartement, puis rejoint mes parents dans leur fermette de Pennsylvanie. Sexuellement, ce fut le calme plat et je me sentis devenir vieille fille. Je continuais à me masturber mécaniquement, parce que cela valait mieux qu'un somnifère pour passer une bonne nuit, mais ces séances masturbatoires ne répondaient à aucun fantasme particulier.

La situation évolua quand j'arrivai, au début du mois de septembre, dans les locaux de la permanence du conseiller Farlowe. Jim Farlowe, étoile montante du conseil municipal et principal opposant au maire, m'avait embauchée avant même la fin de mes études. Il recherchait en effet une fille qui possède une tête aussi jolie que bien faite, qui soit originaire de la ville et la connaisse bien. Ses locaux se trouvaient dans un bel immeuble de la 8e Rue, à Hell's Kitchen, quartier cosmopolite où des populations pauvres et d'une grande variété ethnique voisinaient avec des bobos chassés par les prix prohibitifs de South Isola.

Hell's Kitchen figurait en fait la ville en miniature. On y trouvait des gratte-ciel modernes et de vieux immeubles en brique rouge avec leurs escaliers de secours, des parcs arborés et des zones plus dangereuses où régnait le deal, un musée d'art contemporain, des galeries branchées, mais aussi des boîtes de strip-tease et des rues dédiées à la prostitution et aux sex-shop, des écoles privées réservées à l'élite et des lycées où il fallait franchir un portique de sécurité, histoire de vérifier si les élèves n'arrivaient pas armés d'une lame ou d'un pistolet.

La permanence de Jim Farlowe était une véritable entreprise parfaitement organisée, qui occupait quatre étages. Le rez-de-chaussée tenait du hall d'aéroport, avec sa boutique de produits dérivés (affiches, pins, stylos…) à l'effigie de Farlowe et ses guichets d'accueil. Au deuxième, il y avait une dizaine de bureaux où les habitants du quartier pouvaient, selon leurs problèmes, exposer leurs doléances à des conseillers juridiques, des assistantes sociales, des conseillers en réinsertion ou des spécialistes des questions éducatives. Au troisième étage, où le public n'était pas admis, l'atmosphère devenait plus feutrée. On y trouvait les bureaux des principaux collaborateurs de Farlowe, chacun spécialisé dans un domaine, ainsi qu'une salle de presse dans laquelle une équipe d'une demi-douzaine de permanents était chargée de regarder les chaînes de télé, d'éplucher les journaux et les sites Internet afin de relever tout ce qui se disait sur Farlowe et d'analyser les événements sur lesquels il serait amené à donner son avis. Enfin, au dernier étage, il y avait une salle de réunion et le bureau du chef de cabinet de Farlowe, qui jouxtait le sien, immense, avec une vue imprenable sur le fleuve et les rives de l'État voisin. On pouvait même voir la navette des ferries qui partaient de Battery Park, ferries que j'eus l'habitude de prendre pour masquer ma mélancolie avant que mon Initiation les transforme en terrain de chasse.

Je fus reçue par Farlowe et son chef de cabinet. Farlowe avait la soixantaine, grand, large d'épaules, les cheveux grisonnants coiffés en arrière et crantés. Il portait bien ses costumes Armani et seules ses mains, même manucurées, trahissaient son passé de routier, qu'il ne cachait pas d'ailleurs et dont il faisait un argument électoral auprès des classes populaires. Son charisme était évident. Sa voix, bien qu'éraillée, restait puissante, sans qu'on sache si elle avait été sculptée par l'usage du tabac (Farlowe fumait encore deux cigares par jour) ou par son habitude à prendre la parole en public depuis son plus jeune âge. Quand il était syndicaliste, déjà, il haranguait les foules, par tous les temps, souvent sans micro.

Son chef de cabinet, en revanche, était un jeune loup ambitieux d'environ trente-cinq ans. C'était un ancien de Jackson, comme moi, sans doute la raison pour laquelle mon CV l'avait intéressé. Il s'appelait Edmund Town, un prénom qui ne devait pas être facile à porter pour quelqu'un de son âge. En plus, Edmund était très maigre, presque gringalet, et sa voix aiguë n'arrangeait rien. J'espérais pour lui qu'il n'avait pas trop d'ambitions politiques. Il était plutôt fait pour rester un homme de l'ombre, un conseiller.

Je me sentis tout de suite à l'aise et me mis au boulot le jour même. J'étais chargée de synthétiser les données de la cellule de veille et de rédiger des rapports quotidiens, week-ends compris. J'étais bien payée et, finalement, ce travail me plut autant qu'il m'absorba. Je n'avais plus vraiment de vie sociale, je travaillais douze heures par jour, sept jours sur sept. Mon temps libre, je le passais dans des clubs de gym et je devins une fan de la méthode Pilates. J'évitais de me demander à quoi pouvait servir d'infliger de telles séances à mon corps puisqu'il ne servait à personne, même pas à moi qui n'éprouvais plus qu'à peine le besoin de me masturber. Je lisais, je dévorais des articles, et même des livres, sur ces femmes qui ne faisaient plus l'amour. Je me goinfrais de pots géants de yaourt grec aux fraises Chobani, ma principale nourriture pendant que défilaient non-stop, dans mon salon, les chaînes info. J'appelais les gens de la permanence média à n'importe quelle heure de la soirée pour leur signaler que, sur telle ou telle émission, le présentateur avait balancé une vanne sur Farlowe.

Au bout de quelques mois, j'étais haïe par la plupart des collaborateurs de Farlowe mais adorée du patron. Je fus associée assez vite aux réunions de cabinet et à la prise de décisions stratégiques. Edmund commença alors à me détester lui aussi car Farlowe prit l'habitude de m'emmener, moi plutôt que lui, quand il avait un déjeuner important en ville. Il trouvait plus sexy d'être accompagné d'une belle rousse en tailleur Massimo Dutti que d'un maigrelet à la voix de crécelle.

Farlowe, qui semblait parfaitement heureux en ménage, ne tenta jamais rien avec moi. J'avais rencontré son épouse lors d'un cocktail donné dans nos locaux, une femme petite, ronde, appétissante, et qui avait toujours l'air de se demander ce qu'elle faisait là. Farlowe avait aussi amené trois de ses quatre enfants, de grands adolescents, l'aîné marié vivant sur la côte Ouest. Il n'avait donc aucune raison de me mettre la main aux fesses ou de me faire des propositions malhonnêtes. Il m'aimait bien, c'était manifeste, mais d'une manière presque paternelle – et il savait, dans le même temps, que j'étais son atout charme.

Ce fut grâce à lui que je devais rencontrer mon futur mari, Gene Chandler.

Farlowe voyait les élections s'approcher et il avait besoin de fonds pour sa future campagne. Il organisa donc un dîner avec ses soutiens habituels pour leur demander de mettre la main à la poche. La grande salle du restaurant du Savoy, un des plus prestigieux palaces de la ville, sur la 5ᵉ Avenue, servit de cadre aux agapes. Je connaissais le Savoy pour passer devant son entrée majestueuse surveillée par des gardiens dont l'uniforme à brandebourgs rappelait celui des gardes d'une principauté d'opérette. J'y étais également entrée à trois ou quatre reprises, avec Cynthia. Nous avions osé nous aventurer jusqu'à la première salle pour y prendre le thé et nous avions été aussi estomaquées par la décoration baroque, les lustres monumentaux, le service attentif et la variété des pâtisseries, que par l'addition.

Depuis que Farlowe me payait bien, mes incursions dans ce quartier du Savoy étaient de plus en plus fréquentes, quand l'envie de claquer mon salaire en shopping me poussait vers ces larges avenues cosmopolites et luxueuses, où les grands magasins côtoyaient de splendides immeubles néogothiques dans lesquels vivaient les plus vieilles familles de la ville. Certaines se vantaient de remonter à la fondation de la cité, au XVIIᵉ siècle, quand les pères pèlerins venus d'Europe, chassés par les persécutions religieuses, avaient débarqué à Isola qui n'était encore qu'une île couverte de forêts et peuplée d'Indiens.

Le dîner voulu par Jim Farlowe réunit plus de quatre cents personnes autour de tables comptant huit ou dix convives. Il y avait là le gratin de la ville. Pas uniquement des partisans de Farlowe, mais aussi des hommes avisés qui prenaient des précautions et ne voulaient pas insulter l'avenir si, par hasard, le conseiller de Hell's Kitchen devait connaître un destin encore plus brillant. S'acquitter d'un chèque de 10 000 dollars pour participer au banquet et en laisser un autre à six chiffres pour financer la campagne de Farlowe étaient une forme d'assurance qui, étant donné leur fortune, représentait un investissement tout à fait supportable.

Il y avait des acteurs et des actrices connus, des chefs d'entreprise, des courtiers, des traders, des patrons de banques d'affaires, des grands couturiers, des sénateurs, des juges de la Cour suprême de l'État et même la veuve d'un ancien président des États-Unis. Je n'avais jamais vu autant de *people* dans une même pièce. J'étais légèrement étourdie, éblouie par cette ambiance à la fois élégante et électrique, et j'ai été bien incapable de remarquer dans toute cette foule, comme le Prince me l'apprit plus tard en souriant, qu'il y avait une bonne vingtaine d'Initiés. Et que ce fut lors de cette soirée que je fus d'une certaine manière choisie pour entrer dans cet univers parallèle dédié aux plaisirs les plus extrêmes que peut apporter le sexe.

Pour le moment, j'essayais de ne pas avoir l'air trop ébahie par cette assemblée élégante. Comme l'avait demandé Farlowe à ses proches collaborateurs, nous devions discrètement et rapidement saluer un maximum d'invités avant de leur indiquer la table où ils seraient assis. J'avais passé la nuit à réviser mes fiches, j'aurais dû être épuisée, mais l'adrénaline me conférait une vigilance presque surnaturelle.

La grande salle était dominée par une tribune où différents convives prendraient la parole, tandis qu'à l'autre bout se dressait une estrade où un quintette à cordes jouait de la musique classique pour assurer un fond sonore. Il y avait aussi un nombre impressionnant de gardes du corps, tous fabriqués sur le même modèle, grands, larges d'épaules, en costume sombre et flanqués d'une oreillette. Je reconnus parmi eux le deuxième Blisko. Il croisa mon regard, mais ne m'adressa aucun signe de connivence.

Chaque collaborateur de Farlowe avait en charge une table, le conseiller lui-même présidant la plus grande, au centre de la salle, entouré de ses principaux donateurs. Je me retrouvai ainsi avec sept autres convives. Un couple de publicitaires, un vieux conseiller municipal, à qui Farlowe avait succédé, et sa femme, ainsi qu'un célèbre chirurgien esthétique qui, manifestement, s'était fait la main sur son épouse, sorte de momie récemment extraite de son sarcophage. Le dernier était venu seul.

Il s'agissait de Gene.

Gene Chandler.

Il était beaucoup, mais alors beaucoup mieux, que sur la photo de ma fiche, dont je me remémorais les principaux éléments biographiques alors qu'on servait l'apéritif, un champagne Drappier zéro dosage accompagné de toasts au caviar Beluga.

Gene Chandler, quarante-huit ans.

Études à Princeton.

Ascension fulgurante.

5 000 000 de dollars par an en tant que fondé de pouvoirs de la WWIB, la Walter & Walter Isola Bank, un des poids lourds de la place.

Un mariage houleux avec Jessica Forde, l'héritière d'une des plus grandes fortunes de la ville, ex-mannequin pour *Vogue*, dont il avait divorcé cinq ans auparavant.

Une fille, Selena, dix-neuf ans, qui étudiait à Berkeley, la mère vivant désormais à San Francisco où elle dirigeait une agence de mode.

Son divorce avait défrayé la chronique à cause de la somme astronomique qu'il avait dû verser à Jessica

Forde. Pour le reste, on ne lui connaissait aucune liaison. Il travaillait dix-huit heures par jour et on le surnommait le Robot dans le milieu des affaires.

J'acceptai une nouvelle coupe de Drappier zéro dosage et essayai tant bien que mal de m'intéresser à la conversation du couple de publicitaires. Pour une raison bien simple : j'étais fascinée par le Robot et par son magnifique regard gris. Surtout, il faisait naître au creux de mon ventre une sensation que je croyais oubliée depuis des années, depuis le bal de fin d'année du lycée Mason.

Gene Chandler me retournait littéralement les sens dès que je posais mon regard sur lui. Il avait un visage aux traits réguliers, une élégante barbe de trois jours soigneusement entretenue, et des rides prononcées au coin des yeux qui ajoutaient un peu une touche de virilité à sa beauté magnétique. Ses cheveux étaient taillés en une brosse poivre et sel qui lui donnait un côté austère. Il dégageait pourtant une véritable aura où se mêlaient énergie brute et sauvagerie maîtrisée. Et puis, il y avait sa bouche. Des lèvres pleines, presque charnues, impeccablement dessinées, qui indiquaient une propension manifeste à la sensualité, à mille lieues de son surnom. Je ne pus m'empêcher de m'imaginer aussitôt nue face à lui, offerte dans une position humiliante qui m'aurait emplie de ce plaisir que je recherchais depuis si longtemps.

Je répondais machinalement au vieux sénateur qui me demandait la nature exacte de mon travail auprès de Farlowe. Je commentais également, avec le chirurgien esthétique et sa momie, le menu écrit en lettres dorées, préparé par un grand chef français, Jean-Louis Saint-Roman, qui s'était taillé une belle réputation dans les milieux gastronomiques new-yorkais.

Pressé de volaille et foie gras, légumes vinaigrés, condiment à la truffe noire. Homard du Maine au curry, riz basmati au lait de coco. Bar de l'Atlantique au plat, endives caramélisées, jus truffé. Chevreuil rôti, légumes et fruits de saison, sauce poivrade. Pour les desserts : gâteau au persil, glace au curry de l'est de l'Inde accompagnant un mille-feuille au rhum et fruits de la passion, compote infusée de chili. Quant aux vins, on aurait des grands cabernets de Californie, des pouilly-vinzelles, du château-latour et, pour les digestifs, du cognac XO Delamain.

Mon ventre s'était resserré et, sous ma robe de soirée, je sentais mon sexe pulser et s'humidifier sans que je puisse contrôler quoi que ce soit. Gene Chandler se mêlait à la conversation de manière polie, mais ne cessait, je le sentais bien, de me dévisager dès qu'il le pouvait, à l'insu des autres. J'essayais désespérément de ne pas rougir et je fus heureuse quand, après le homard du Maine, un premier orateur prit la parole, ce qui me permit de me tourner vers la tribune.

Je n'entendis pas un mot de ce qui fut dit, espérant que l'on mettrait mes rougeurs sur le compte du pouilly-vinzelles dont, sans m'en rendre compte, j'abusais comme s'il avait pu éteindre le feu qui s'emparait de moi. L'ivresse et le désir montaient de façon simultanée et il fallait absolument que je me calme.

Le jeu des regards reprit avec Gene Chandler, qui restait impénétrable. Mais je savais reconnaître, dans ces yeux gris comme l'océan en hiver, un intérêt manifeste pour ma personne et aussi une pointe d'ironie, comme s'il savait parfaitement l'état dans lequel il me mettait. Le discours final de Jim Farlowe était prévu entre le chevreuil que l'on venait de servir avec le château-latour et le gâteau au persil.

Je n'en pouvais plus, littéralement plus. Je posai ma serviette, me levai et m'excusai en évitant le regard de Gene Chandler. J'eus droit à un sourire bienveillant du vieux sénateur :

— Mais allez-y, mademoiselle Graham, je vous en prie.

Les toilettes pour femmes du Savoy étaient grandes comme deux fois mon appartement de Brookside. Je me rafraîchis le visage dans une vasque à côté d'une actrice de sitcom qui se refaisait une beauté et me dit :

— Belle soirée, non ?

— Tout à fait.

Elle s'apprêtait à me dire autre chose, mais j'avais déjà refermé la porte sur moi et je me tortillais pour retirer ma petite culotte Chantal Thomas, qui était trempée. J'écartai les jambes et je commençai à me masturber, mais pas de manière mécanique, cette fois.

La banquise avait fondu sous le regard de Gene Chandler.

Je décidai de prendre mon temps, de laisser un fleuve d'images m'envahir. Il y avait des miroirs partout et je me voyais sous tous les angles. Ce fut une des meilleures séances onanistes de ma vie. J'appuyai bien mon dos contre le mur et je commençai d'abord par une pression légère sur mes grandes et petites lèvres, dont je suivais le dessin dans les moindres détails. Je les caressai très doucement et très lentement, augmentant la pression à chaque passage.

Ce n'est que lorsque le besoin s'en fit impérieux que je passai à mon clitoris. Je l'agaçai d'un mouvement circulaire avant de changer d'angle et de glisser mon médius sur la petite boule turgescente que je stimulai en allant de haut en bas, puis d'avant en arrière. Je sentais l'odeur de ma cyprine monter jusqu'à mes narines et je jouis une première fois. Je recommençai le même manège tout en me pinçant les mamelons de toutes mes forces et la douleur vint se mêler à une deuxième vague de plaisir. Je cessai de me regarder, fermant les yeux, et je me retrouvai traversée par des flashs d'une précision intense. Je m'imaginais à genoux, les mains liées dans le dos par des menottes, deux sexes d'hommes, dont je n'arrivais pas à discerner le visage, forçaient ma bouche et ma chatte. Tandis que j'étais suspendue par des liens compliqués à un plafond, un autre homme que je ne voyais pas non plus me fouettait, la lanière de cuir venant s'enrouler comme un serpent autour de mon ventre après avoir cinglé mes fesses.

Je m'introduisis alors deux doigts dans le vagin. Des applaudissements étouffés résonnèrent jusqu'à moi depuis la salle. Jim Farlowe avait sans doute commencé son allocution, mais rien ne pouvait m'arrêter, mes orgasmes se succédaient en cascade alors que je trouvais mon point G, la pulpe de mes doigts appuyant sur cette minuscule zone bombée et râpeuse que je reconnus tout de suite. Pour accentuer la nouvelle vague orgasmique qui arrivait, je serrai mes talons l'un contre l'autre, contractai et relâchai alternativement les muscles de mon bassin, remerciant mes heures de Pilates.

Ce fut tellement délicieux que je ne pus m'empêcher de hurler, au moment où, heureusement, une deuxième salve d'applaudissements me parvint.

Je rouvris les yeux. J'avais l'air d'une fille qui avait fait l'amour toute la nuit avec une demi-douzaine de partenaires. Mes jambes vacillaient et mon corps, encore parcouru par les ondes successives du plaisir, ne voulait pas répondre à mes ordres. J'attendis que mon souffle revienne et je remontai ma petite culotte.

Je tirai la chasse afin de donner le change et passai la main dans mes cheveux pour remettre de l'ordre dans ma tignasse que j'avais laissée libre pour l'occasion.

Je revins dans la salle, entendant la voix du conseiller Farlowe qui n'avait pas encore terminé son discours, et me dirigeai vers ma table. Mais là, une mauvaise surprise m'attendait.

Gene Chandler n'était plus là.

J'interrogeais du regard, avec une mimique étudiée de surprise, les autres convives, et ce fut le publicitaire qui m'informa :

— Il a reçu un SMS et il est parti aussitôt. Ah, ce Gene Chandler, pas étonnant qu'on l'appelle le Robot.

Il y eut des rires polis autour de la table, auxquels je m'associais pour cacher une déception et une frustration presque aussi grandes que les orgasmes que je venais d'éprouver. Je terminai le dîner dans un état second, ayant l'impression d'évoluer dans un brouillard lumineux et sonore qui me coupait du monde. Je fis pourtant bonne figure jusqu'au bout, même si je ne touchai qu'à peine aux délicieux desserts.

Quand l'heure du départ sonna, la salle se vida et il y eut une noria de limousines noires, de Porsche, de BMW, de Lexus, dans leurs variantes 4×4 ou cabriolets. Des rires trahissant une légère ivresse éclataient parfois alors que les voituriers ouvraient les portières en saluant et en recevant des pourboires royaux. Je fis partie de celles qui rentrèrent dans un modeste taxi jaune. Sur la route, mon téléphone vibra. Mon cœur se mit à battre, c'était sans doute un message de Gene Chandler. Je n'avais pas pu me tromper à ce point. Ce regard gris posé sur moi. Au moment où je sortais le téléphone, je compris que c'était idiot. Comment aurait-il pu avoir mon numéro ? Et j'avais raison. C'était un message de

Jim Farlowe qui convoquait tout son cabinet pour une réunion de débriefing le lendemain matin à 10 heures.

Comment avais-je pu m'illusionner à ce point? Je compris que je pleurais quand le chauffeur de taxi, alors qu'on allait arriver à Brookside, me demanda :

— Vous êtes certaine que ça va aller, mademoiselle?

22

Je passai une nuit pleine de rêves étranges, frustrants et désespérants. L'élégant Gene Chandler y jouait le premier rôle, mais il ne s'agissait pas à proprement parler de songes érotiques ou, plus précisément, il ne s'agissait pas de rêves où nous aurions fait l'amour. Par exemple, je me trouvais sur une plage qui mélangeait celles d'Odessa Beach et du lac, près de St-John, dans le Maine. J'étais seule mais je sentais que l'on m'observait. J'avais beau me retourner, marcher jusqu'à des rochers pour voir si par hasard on m'espionnait, je ne trouvais personne.

Quand je revenais sur mes pas, je découvrais alors Gene Chandler assis, le nœud papillon du smoking défait flottant au vent. Simultanément, je m'apercevais que j'étais nue et je cachais maladroitement mes seins et mon sexe en avançant vers lui. Il ne tournait pas la tête vers moi et je restais debout, ne parvenant pas à attirer son regard. Cela me semblait durer une éternité. J'étais prise soudain d'une grande fatigue et je m'asseyais à son côté. Alors, au bout d'un long moment, toujours sans tourner la tête, il disait simplement : « Nous nous reverrons bientôt, mademoiselle Graham. » Et il se levait, s'éloignait et, au bout de quelques pas, il se dissipait littéralement.

Au matin, ce fut la sonnerie de mon smartphone qui me réveilla et je reconnus le numéro du conseiller

Farlowe. Je crus un instant que j'étais en retard pour la réunion du débriefing mais non, il était à peine 8 heures.

La voix grasseyante de Farlowe résonna joyeusement à mon oreille :

— Félicitations, Alice !

— Pardon, monsieur ?

— Je vous dis « félicitations », Alice, parce que vous les méritez bien. Je voulais vous prévenir avant la réunion. Vous avez dû taper dans l'œil de Gene Chandler parce que j'ai sous les yeux un chèque de 250 000 dollars signé de sa main. C'est le plus gros don de la soirée. Il l'a laissé à Edmund juste avant de partir. Vous n'avez rien vu ?

Comment aurais-je pu lui expliquer que non, je n'avais rien vu parce qu'au moment où Gene Chandler avait quitté la soirée, j'étais dans les toilettes du Savoy en train de me masturber comme une furieuse, connaissant un plaisir d'une telle intensité que j'avais cru m'évanouir.

— En tout cas, bravo Alice et merci. Je vous savais intelligente et dotée d'un atout charme, mais, là, chapeau ! On se voit tout à l'heure et permettez-moi de vous retenir à déjeuner. Il faut absolument d'ailleurs que vous en organisiez un avec Chandler et moi, ne serait-ce pour que je puisse le remercier.

Ensuite, tout alla vite, vraiment très vite.

Le déjeuner avec Gene Chandler et le conseiller Farlowe eut lieu la semaine suivante, dans un restaurant panoramique, au soixantième étage de la tour Williamson. La nourriture était chère et quelconque, mais la vue imprenable. Gene Chandler portait des lunettes noires qu'il ne retira pas du déjeuner. Son calme aimable, mêlé d'une certaine froideur, contrastait avec l'enthousiasme forcé et les rires de Farlowe qui sirotait un double scotch glace et pestait contre la récente interdiction de fumer promulguée par le maire car il se serait bien offert un cigare.

Gene Chandler sortit alors un étui de sa veste sur mesure et l'ouvrit :

— Si je puis me permettre, vous le fumerez tout à l'heure.

— Nom de Dieu, Gene ! Vous m'autorisez à vous appeler Gene ? C'est un Gran Reserva Cohiba Siglo VI ! Ou, alors, que je sois damné !

— C'est toujours un plaisir d'en proposer un à un connaisseur.

Moi, j'étais surtout heureuse que Gene Chandler ait caché son regard gris acier sous ses Wayfarer noires, car sa simple présence à mon côté m'électrisait. Si j'avais dû, en plus, affronter ses yeux, il aurait fallu que je demande à un serveur le chemin des toilettes…

— Alice, me dit alors Farlowe en riant. Un homme comme M. Chandler qui a sur lui des Cohiba de cette qualité et fait la pluie et le beau temps à la WWIB ferait un parti idéal pour vous, mon petit !

J'essayai désespérément de ne pas rougir et vérifiai que ce n'était pas le cas dans le reflet d'une baie vitrée. Je ne vis qu'une élégante jeune femme qui se tenait bien droite dans sa veste de tailleur Issey Myiake sur un jean noir Versace, le tout ravivé par un chignon roux. Je remerciai le ciel de garder un tel maintien.

Gene Chandler eut un sourire en me regardant, mais pas un sourire de convenance, un sourire qui signifiait plutôt : « Vous voyez bien, ce n'est pas moi qui le dis. » Je voulus croire que je surinterprétais la chose, que je me trompais. Mais non. Moins de trois mois plus tard, la plaisanterie du conseiller Farlowe devenait réalité : Gene et moi étions mariés.

Alice Graham était devenue Alice Chandler.

Quand je repense à cette période de ma vie, maintenant que je suis Initiée, je me dis que j'aurais dû tout comprendre, tout deviner dès ce déjeuner, voire dès la soirée au Savoy.

La cour que me fit Gene fut à la fois traditionnelle et rapide. Il y eut les bouquets quotidiens, aussi bien ceux que je recevais au bureau de Hell's Kitchen que ceux qui m'attendaient à mon appartement de Brookside. Il y eut des cadeaux au prix indécent, comme ce solitaire monté sur un anneau de platine et cette montre Breitling, une série limitée incrustée de petits saphirs en guise de chiffres.

Gene, en raison de son travail, était rarement libre mais j'eus, malgré tout, l'impression de le voir tout le temps. Il m'emmenait dans des restaurants de fruits de mer à Long Beach ou sur Riverside avec sa Porsche Cayenne. Quand on se rencontrait, je m'en aperçois maintenant, c'était surtout moi qui parlais. Nous avons aussi assisté à nombre de spectacles, de soirées mondaines, d'inaugurations, et je devins, sans le vouloir, une figure *people*. Ma mère me téléphona même de sa retraite de Pennsylvanie pour me dire qu'elle m'avait entrevue dans les pages d'un magazine, alors qu'elle attendait chez son coiffeur. On m'apercevait à côté d'un beau quadra en brosse au vernissage d'une exposition sur les Mayas à la fondation Guggenheim. Elle me demanda s'il y avait quelque chose entre ce banquier et moi. Je lui répondis que oui, peut-être. En même temps, j'éprouvais des sentiments complexes et mélangés qu'il aurait été difficile d'expliquer à ma mère.

J'avais la certitude que Gene avait compris qui j'étais, au plus profond de moi-même. J'étais aussi persuadée que, de son côté, il avait en lui ce que je ne peux appeler autrement que le don. Pourtant, il ne me touchait pas et me raccompagnait toujours sans chercher à monter, me laissant dans un état de désir et de frustration qui avait pour conséquence d'incroyables séances de masturbation presque aussi fortes que celle du Savoy. Je me demandais ce qu'il cherchait au juste. J'étais toujours prête, quand je montais dans la Porsche Cayenne, à lui demander des explications, mais à peine essayais-je d'ouvrir la bouche que je restais paralysée, humant à plein nez le parfum de cuir auquel se mélangeait l'odeur de son eau de toilette.

Bel Ami d'Hermès lui allait si bien que j'en achetais un flacon non pas pour le lui offrir mais pour le soir, quand je me retrouvais seule, en inonder l'appartement et mon propre corps nu, pour mieux m'imaginer qu'il était là. Ma machine à fantasmes redémarrait alors immédiatement mais, là encore, étrangement, comme dans mes premiers rêves, Gene n'en était pas l'acteur principal, simplement un spectateur omniprésent, toujours impeccable, toujours sans émotion.

Je l'imaginais ainsi sur une sorte d'estrade, assis dans un fauteuil club, fumant son Cohiba ; moi, en contrebas dans une grande pièce où il n'y avait que d'épaisses tentures et des divans. Je me retrouvais nue, livrée à des hommes et des femmes croisés dans les soirées où il m'avait emmenée. Je subissais avec bonheur les assauts des uns et des autres, je me retrouvais attachée à d'étranges dispositifs, des harnais de cuir, des *slings*, offerte à tous les caprices. On me couvrait d'onguents aux odeurs fauves avant de me fouetter, chaque coup m'arrachant des hurlements de plaisir.

Gene, toujours dans le fauteuil club, regardait la scène. Je voulais remonter vers lui, lui dire que j'acceptais tout cela pour lui, qu'il était mon maître, qu'il devait m'honorer de son étreinte. Parfois, j'arrivais à atteindre l'estrade, je lui criais tout cela et il me murmurait :

— Je sais, Alice, je sais, mais sois patiente. Il faut que tu sois à la hauteur.

J'essayais de le toucher, lui, mon amour, de me serrer contre lui, de me perdre dans son regard gris, mais des gardes masqués en uniforme de cuir me ramenaient en arrière, dans l'orgie, et je me prosternais alors devant des sexes érigés que je suçais avec toute la science dont j'étais capable, tout en essayant de capter son regard gris qui ne laissait rien transparaître, sinon une neutralité bienveillante. Je me laissais prendre par deux hommes à la fois, sentant leurs sexes se rejoindre au plus profond de mon ventre, et je jouissais à n'en plus finir, dans des orgasmes déchaînés. Ces fantasmes contrastaient avec ce que je vivais réellement. Gene m'attirait à un point inimaginable, mais il restait froid et je devais me contenter de ses sages baisers sur ma bouche qui en aurait voulu tellement plus.

Le mariage fut finalement célébré dans la plus stricte intimité dans le parc de la maison de Gene, à Long Beach, loin de la foule qui se pressait autour des attractions foraines. Une stricte intimité qui réunit pas loin de huit cents personnes et mobilisa une soixantaine d'extra, les plus grands traiteurs de la ville, un orchestre de jazz, deux DJ et des agents de sécurité privée, qui durent repousser sans ménagement les paparazzi. Ce qui n'empêcha pas plusieurs articles de paraître dans des hebdos à ragots, dont l'un ainsi titré : « Quand le Robot de chez WWIB épouse une proche collaboratrice de Jim Farlowe. Mariage d'amour ou alliance du big business et de la politique en vue des élections ? »

Jim Farlowe fut de la partie et but un peu trop, tout content d'avoir été, disait-il, «une marieuse juive sur ce coup-là». Je passai la plupart du temps avec mes parents, à la fois éblouis et circonspects, et avec Cynthia venue du Nebraska en compagnie d'un type sympa mais avec lequel ça n'allait pas durer, me confia-t-elle.

Gene connaissait évidemment tout le monde, mais ne paraissait vraiment proche de personne. Le Robot semblait décidément un surnom bien choisi. Il n'eut de conversation un peu suivie qu'avec deux collègues de la banque qu'on aurait cru sortis d'un même moule usinant les cadres dirigeants.

Je fus aussi étonnée par l'absence de famille du côté de Gene. Seule était présente la fille de sa première épouse, Selena, sublimement jolie, sublimement californienne, qui faisait ostensiblement la gueule. Elle m'entraîna toutefois à l'écart des grands velums, et ce qu'elle me dit ne fut pas agréable à entendre :

— Vous êtes la nouvelle, alors ?

— Oui, ça en tout a l'air.

— Vous savez pourquoi mon père a divorcé ?

— J'ai lu ce que les journaux ont écrit mais, pour tout vous dire, Selena, ça ne m'intéresse pas vraiment. J'aime votre père et j'espère que nous serons bonnes amies, vous et moi.

Elle eut un rictus qui déforma son beau visage.

— Ça m'étonnerait.

— Pourquoi dites-vous ça ?

— Je n'ai pas l'intention de revenir voir souvent mon père. Je voulais juste rencontrer sa nouvelle victime.

Cela me mit en colère. J'eus envie de lui lancer ma coupe de champagne au visage mais, comme elle buvait un bloody mary, elle se serait vengée sur ma robe de mariée, une splendeur confectionnée sur mesure par Pronovia, sur la 2ᵉ Avenue.

— Il me semble que votre mère a plutôt réussi à tirer le maximum d'argent de votre père, non ?

— Elle avait de très bonnes raisons. Ça ne vous semble pas étonnant que mon père lui ait cédé aussi facilement une telle somme ? D'habitude, ce genre d'affaires dure des années, vous le savez aussi bien que moi.

— Vous avez peut-être les réponses, Selena ?

— Disons que maman est très discrète. Très, très discrète. Mais, à mon avis, papa a acheté son silence. Et comme maman est une pragmatique, elle se tait. Parfois, quand je la questionne sur le sujet, elle me donne l'impression d'avoir presque… presque peur.

— Vous vous faites du cinéma, Selena. C'est normal, vous n'habitez pas loin d'Hollywood…

— Je suis certaine que mon père est un homme qui a voulu l'entraîner là où elle ne voulait pas aller…

— C'est-à-dire…

— Mon père n'est pas seulement le Robot, il cache bien des secrets, des choses très lourdes…

— Lesquelles ?

— Si je le savais, cela ne serait plus un secret. Mais méfiez-vous, c'est un homme que je crois pervers et malsain.

— Vous vous rendez compte de ce que vous me dites ?

— Oui. Parfaitement.

— Et vous avez fait le voyage depuis la côte Ouest pour me dire tout ça ? Votre bonté vous honore…

Elle haussa ses épaules qu'elles avaient rondes et bronzées, parfaitement mises en valeur par une robe longue et colorée qui venait, à mon avis, de chez Christian Lacroix.

— Ironisez si cela vous amuse. Je sais que ma mère ne parle de lui qu'avec un tremblement dans la voix. Je sais aussi que vous aurez des surprises.

Gene arriva à ce moment-là.

— Tout va bien, ma chérie? Et toi, Selena, tu n'as besoin de rien?

Elle le regarda avec un mélange de peur et de fascination. Je compris alors pourquoi elle était venue. Pour essayer de comprendre ce qui s'était passé entre Gene et sa mère, les véritables, les obscures raisons de ce divorce qui s'était trop bien déroulé. Comme si, effectivement, Gene avait acheté la paix en envoyant Jessica Forde à l'autre bout du pays.

En même temps, je me disais que ce qui avait effrayé son ex-femme était peut-être précisément ce que je recherchais depuis toujours.

23

Après notre mariage, je m'installai dans la maison de Long Beach. Gene ne me l'avait fait visiter qu'une fois avant la cérémonie, un après-midi où il était miraculeusement libre et où il me demanda en souriant, ce qui creusa divinement ses rides d'expression :

— La future madame Chandler aimerait-elle voir sa future demeure ?

Je découvris ainsi une grande maison, construite en 1928, qui imitait le style colonial hollandais. Elle était blanche, sur trois étages, avec plusieurs toits à pignon. L'intérieur était meublé avec une austérité luxueuse où l'on retrouvait du mobilier amish mais aussi, dans certaines pièces, des divans en cuir de style anglais, des fauteuils club – et mon rythme cardiaque s'accéléra au souvenir de mes fantasmes, des boiseries et des bibliothèques. Sur l'arrière de la maison, il y avait une piscine couverte au milieu d'un jardin planté de magnifiques arbres.

Ce jour-là, il me fit monter dans son bureau, une grande pièce au dernier étage d'une des ailes de la maison et, de là, par-dessus les arbres, on voyait l'océan. Il m'embrassa, mais il gardait toujours cette étrange distance alors que je n'avais qu'une envie : qu'il me déshabille et qu'il me prenne comme bon lui semblerait, autant de fois qu'il le voudrait, sur la grande plaque de verre où l'on ne voyait rien qu'un Mac portable dernier modèle. Qu'il me force à m'agenouiller et à l'accueillir dans ma bouche, que je découvre enfin ce sexe que je ne connaissais toujours pas, ces couilles qui caresseraient mon visage.

Pourquoi, encore une fois, fallait-il que je sente jusqu'au plus profond de moi que cet homme représentait tout ce que j'avais recherché de manière tumultueuse ? Pourquoi n'avais-je, dans les faits, en face de moi, qu'un homme d'affaires, élégant, sexy, attentionné, généreux, mais qui gardait une espèce de carapace que j'espérais bien faire fondre quand commencerait notre vie quotidienne ?

Je dus vite déchanter car il n'y eut pas, à proprement parler, de vie quotidienne dans cette belle maison de Long Beach. Gene n'y était pour ainsi dire jamais et je m'y retrouvais souvent seule, le soir, après mes journées avec Farlowe.

D'un point de vue sexuel, cette période fut des plus frustrantes. La nuit de noces, Gene me fit l'amour avec un manque d'imagination comparable à celui de William Blake. Même ma liaison la plus longue, avec Richard Brodski, avait été plus amusante. C'était une sensation d'autant plus étrange que le corps de Gene me convenait idéalement, celui d'un homme mûr qui s'entretenait, raisonnablement musclé, de belles épaules, une poitrine légèrement velue, de jolies fesses que je voyais dans la pénombre quand il se levait avant moi, toujours vers 4 heures du matin, sans réveil. Soit pour travailler dans son bureau du dernier étage, soit pour gagner à Isola le siège de sa banque, ce qui était le plus fréquent.

Son sexe, en plus, était énorme. Le plus long et le plus épais que j'aie pu voir. Le simple fait qu'il me pénètre, la première fois, me fit jouir avant qu'il ne commence à bouger en moi. Mais, à ma grande frustration, il ne me laissa pas le sucer et il ne se livra pas non plus sur moi à des caresses buccales.

Alors, moi aussi, je m'abrutissais dans le travail. Je me sentais malheureuse mais, dès que l'idée de le quitter m'effleurait, je ressentais comme un grand vide. Et, quand nous sortions, nous parlions toujours aussi peu. Nous étions un couple en vue, je jouais la comédie du bonheur.

Je décidai alors de consulter un psychanalyste. Comme je ne voulais rien cacher à Gene et que, de toute façon, il l'aurait appris, je lui fis part de cette intention au bout de six mois de vie commune. Pour une fois, il était là et nous ne dînions pas dehors mais dans un des salons de la maison en regardant, sur un gigantesque écran plat, une retransmission du festival de Bayreuth. On avait donné congé aux domestiques et nous grignotions du saumon fumé et des terrines du Périgord accompagnés de chou-fleur cru que nous trempions dans une sauce délicieuse. Le tout avait été livré par Boulud, l'épicerie fine qui faisait l'angle de la 64e Rue et de Broadwalk. Nous accompagnions nos mets d'un pomerol Chasse-Spleen de 2002. Ce fut au bout du troisième verre que j'eus le courage de lui annoncer ma décision.

Il me sourit très calmement, passa sa main sur ma joue.

— Je crois que c'est une très bonne idée, Alice. Il est normal que tu ne trouves pas notre vie satisfaisante. Que tu la trouves même frustrante.

Je faillis en renverser mon verre de Chasse-Spleen.

— Mais enfin, Gene, si tu penses cela, c'est que, pour toi non plus, la situation n'est pas satisfaisante.

— Justement non, Alice, justement non. Si j'ai voulu t'épouser, c'est que je sens en toi un merveilleux potentiel qui n'est pas encore révélé.

— Mais il ne tiendrait qu'à toi, Gene. Tu sens bien, tout de même, que je suis prête à tout pour toi. Notamment en ce qui concerne le sexe. J'ai rencontré certaines personnes avant toi qui m'ont donné la certitude que j'avais…

— Un don?

Je le regardai comme si je le voyais pour la première fois.

Je fus persuadée qu'il avait lu en moi comme auparavant Joséphine Simpson, Jennifer Coyle et l'officier de police Blisko. Pourquoi, alors, ne réagissait-il pas en conséquence? Pourquoi ses absences si fréquentes? Pourquoi cette sexualité si morne?

Là encore, j'étais devenue comme transparente puisqu'il poursuivit:

— Si tu as ce don ou ces prédispositions, ce qui n'est pas certain, il faut apprendre à te connaître, à savoir d'où tu viens. Ce qui t'habite vraiment. Nous pourrons alors peut-être envisager notre couple différemment, sous une forme que tu n'imagines même pas.

Je repensai à ce que m'avait dit sa fille. Si vraiment il avait tenu ce genre de discours à Jessica Forde et que celle-ci n'ait pas accroché, elle avait dû le prendre pour un fou.

Mais ce n'était pas mon cas.

— Alors, tu penses que c'est une bonne idée d'aller voir un psy?

— Oui, mais pas n'importe lequel, pas un de ces *shrinks* qui vous exploitent pendant des années et se paient leur maison à Miami avec des névroses qu'ils ne soignent jamais. Je peux t'en conseiller un, si tu veux, dit-il alors qu'il achevait de vider la bouteille de Chasse-Spleen dans nos verres.

— Bien sûr.

— Il s'agit de Bill Reich. Son cabinet est à deux rues d'ici. Mais ce que je veux que tu comprennes bien, c'est qu'il ne s'agit pas pour moi de te manipuler mentalement. Donc, je ne veux rien savoir de ce que te dira Reich, ni de ce que tu feras avec lui.

Je pris rendez-vous avec le Dr Bill Reich dès le lendemain et il me reçut le soir même. C'était un homme qui avait tout du sanglier mais qui n'était pas dépourvu de charme. On l'aurait davantage imaginé avec sa chemise à carreaux, sa taille courte, sa musculature impressionnante et sa grosse tête joyeuse aux cheveux argentés et drus dans le rôle d'un bûcheron canadien plutôt que dans celui d'un psychanalyste.

Je le vis deux fois par semaine, assez tard le soir, quand je rentrais de Hell's Kitchen. Pendant ces six mois-là, je vis Gene encore moins souvent car il partait parfois des semaines entières pour la WWBI, des voyages d'affaires qui l'emmenèrent en Europe et en Asie. Et, pour dire la vérité, pendant ces six mois-là, nous n'avons pas fait l'amour, nous croisant à peine de temps en temps, dans la maison.

Ce qui ne veut pas dire que moi, je ne l'ai pas fait.

Sur les conseils de Bill Reich.

Il était pourtant un ami de Gene, ce qu'il me confia dès la première séance, même si Gene n'avait jamais été son patient. D'après lui, Gene était peut-être la seule personne sur terre qui n'avait pas d'inconscient ou qui, en tout cas, avait su seul l'explorer et le maîtriser.

Quand je demandais à Bill pourquoi il n'était pas à notre mariage puisqu'il était un ami de Gene, ce que Gene me confirma lors d'une conversation téléphonique alors qu'il sortait d'une réunion à Hong Kong, le psy me répondit:

— Gene cloisonne. Je fais partie de ses amis… secrets. Mais je n'ai aucune raison de vous en dire plus pour l'instant. Si votre thérapie fonctionne, alors on verra.

Malgré la sympathie qu'il m'inspirait, je me renseignais sur lui. La liste impressionnante de diplômes qui ornaient les murs de son bureau aurait pu être fausse. Internet me prouva que non.

Les trois premiers mois, Bill Reich réussit à me faire parler. Je lui racontais tout avec une facilité qui me déconcerta. Le jour où j'arrivais au récit de ma nuit avec Cynthia, j'eus la surprise, soudain, de le voir quitter son bureau et venir vers le divan.

— J'ai envie de vous bouffer la chatte, me dit-il calmement, les mains sur les hanches. N'importe quel collègue pourrait vous parler de transfert, moi je vous dis simplement que j'ai envie de vous bouffer la chatte.

À ma grande surprise, je ne fus pas choquée et je me redressai à demi sur le dossier du divan. J'écartai les jambes, je remontai ma jupe bien au-dessus de mes Dim-up.

— Allez-y, docteur Reich!

Il ne démentit pas sa ressemblance avec le sanglier. Une fois qu'il eut baissé mon slip rouge Lise Charmel, sa grosse tête commença à me fouailler comme s'il recherchait une truffe. Il poussait des grognements animaux et je sentais sa bouche m'aspirer, me boire, me mordiller. Il ne cherchait pas je ne sais quel raffinement me prouvant sa délicatesse et sa connaissance de l'anatomie féminine, non, il désirait juste se repaître de mon sexe, ce qui me conduisit très vite à l'orgasme.

Une fois qu'il eut terminé, je restai devant lui, décoiffée, essoufflée, et je le fixai. Il s'essuya le bas du visage avec un mouchoir.

— Nous n'irons pas plus loin, madame Chandler. Si un jour j'ai le temps, je vous expliquerai mes théories. Elles plaisent beaucoup à Gene, d'ailleurs. S'abreuver au sexe d'une femme, au moment où elle jouit, est pour l'homme un moyen de capter une extraordinaire énergie, un flux qui se répand en lui, dope son système immunitaire et aiguise ses facultés intellectuelles ainsi que la bienveillance vis-à-vis de ses contemporains. En revanche, la pénétration, si elle provoque un plaisir également important, voire nécessaire, n'a pas cette vertu thérapeutique. L'orgasme, dans le cas de la femme, est, d'une certaine manière, perdu pour l'homme.

— Vous n'êtes pas en train de justifier le simple fait que vous n'avez pas résisté à l'idée de me faire un cunnilingus?

— L'un n'empêche pas l'autre. Ce que je peux vous dire, mais je le soupçonnais déjà depuis nos premières séances, c'est que vous avez en vous ce que j'appelle un capital orgasmique peu commun et qu'il pourrait éventuellement faire de vous une... Mais n'allons pas trop vite.

Je sais aujourd'hui qu'il avait pratiquement laissé échapper le mot «Initiée».

Pour ma part, à ce moment-là, j'étais simplement reconnaissante de cet orgasme inattendu, et je trouvais plaisante la fantaisie de Bill Reich qui tranchait avec l'ambiance un peu glacée dans laquelle je vivais depuis mon mariage. Je ne me rendais pas compte que j'avais commencé ce qui s'apparentait à un examen de passage.

Ensuite, à chaque séance, Bill Reich prit l'habitude de ce petit jeu sexuel, m'affirmant, à chaque fois, que mes orgasmes lui semblaient d'une qualité tout à fait remarquable et que, parmi la demi-douzaine de clientes qui acceptaient le cunnilingus, je me plaçais, à son avis, au tout premier rang de celles qui lui redonnaient la forme.

— C'est infiniment mieux qu'une boisson énergisante, vous savez. Je ne vais pas entrer dans les détails, mais certains de mes bilans biologiques se sont considérablement améliorés depuis que j'ai trouvé cette technique...

Il m'arriva, une fois, de croiser, dans la salle d'attente, une femme en lunettes noires qui me rappelait vaguement quelqu'un. Quand, en ressortant du cabinet, je vis la Chrysler 300 noire aux vitres opaques garée devant la porte avec un chauffeur en casquette qui fumait, appuyé contre le capot, je sus qui était la femme de la salle d'attente.

C'était l'épouse d'un sénateur avec qui Jim Farlowe s'entretenait souvent. Je me demandai, en souriant intérieurement, si l'analyse de Mme la sénatrice supposait également le cunnilingus et, le cas échéant, si elle était aussi efficace que moi d'un point de vue thérapeutique.

— Ça se passe bien, ton analyse avec Bill Reich? me demanda Gene, un des rares soirs de cette période où il fut là, entre deux avions.

— Très bien. J'ai envie de faire l'amour avec toi, tu sais...

— Je crois vraiment, Alice, qu'il faut attendre la fin de ta thérapie.

Je ne lui en voulus pas. Je devinai en lui je ne sais quel dessein pour moi, aussi étrange que tout cela puisse paraître, et je me demandai un instant si Jessica Forde, sa première femme, avait eu droit à une analyse avec le surprenant Bill Reich. Et si cela ne l'avait pas par trop... déroutée.

Le même Bill Reich, peu de temps après, me fit une étrange proposition.

— Ne vous inquiétez pas, elle est purement scientifique. J'aimerais savoir si la qualité de vos orgasmes est aussi efficace pour d'autres hommes.

— C'est-à-dire?

— Eh bien, si vous êtes d'accord, j'aimerais que vous laissiez d'autres hommes s'occuper comme je le fais de votre sexe.

L'idée m'excita au plus haut point, je dois bien l'avouer.

Je fis mine de résister mais Bill Reich déploya des trésors d'éloquence. Il ne niait pas que les hommes en question viendraient aussi pour le plaisir mais que, de mon côté, je pourrais y trouver mon compte. Et dire que, plus jeune, je complexai sur mon sexe, sur ses lèvres trop charnues sous ma toison rousse.

J'acceptai donc, à la fois troublée, excitée et amusée.

Bill Reich me donna l'adresse d'un appartement dans le quartier de Tribeca et me fixa rendez-vous le lendemain à 21 heures.

— Il faudrait aussi que vous portiez un masque, pour garantir votre anonymat.

Je partis directement de mon bureau de la permanence de Hell's Kitchen pour me rendre à Tribeca. J'arrêtai mon cabriolet Mercedes CLK, un cadeau de Gene, devant un bazar tenu par un Indien et achetai un masque de Catwoman.

La circulation et les difficultés de stationnement furent telles que je n'arrivai que vers 21 h 30 à l'adresse indiquée, alors que des messages inquiets de Bill Reich se succédaient sur mon smartphone. Il me disait également que l'appartement était un duplex à deux entrées et que je devais directement frapper à la porte du haut. J'appuyai sur la touche de l'ascenseur quand je vis un homme, la trentaine élégante, monter avec moi au dernier moment.

— Je vais aussi au neuvième et dernier étage, dit-il alors que j'avais déjà appuyé sur le bouton et que je lui lançais un regard interrogateur.

J'essayai de ne pas le regarder, mais je ne pouvais m'empêcher de me demander s'il ne faisait pas partie des «patients» prévus par Bill Reich. Il était plutôt beau gosse et l'idée que, dans quelques minutes, il aurait peut-être le visage plongé dans mon entrejambe me fit mouiller fortement.

À la sortie de l'ascenseur, il se dirigea vers la porte de l'appartement tandis que, l'air de rien, j'empruntais l'escalier métallique qui menait au dernier étage du duplex.

J'avais à peine sonné que Bill Reich, plus sanglier que jamais, m'accueillit d'un sourire, un doigt sur la bouche. Il me dit à voix basse : «Ils sont tous en bas. Le dernier vient d'arriver.»

— Ils sont combien? demandai-je.

— Vingt-quatre...

— Vingt-quatre!

— Oui, il y a eu une forte demande dès que j'ai soumis la proposition à mes contacts. Je tiens à vous informer que tous ces hommes sont du meilleur milieu et que cette expérience n'a rien de vénal. Tout comme vous, ils sont là bénévolement. Après la séance de ce soir, ils se rendront dans la clinique d'un ami vérifier si vous avoir léchée a amélioré leurs bilans biologiques, ce qui serait un vrai bond en avant pour mes recherches.

Comme devait me l'apprendre plus tard le Prince, et aussi Bill Reich lui-même, la séance que j'allais vivre participait bien sûr d'un jeu érotique mais aussi d'une expérience scientifique. Bill Reich, le Prince et quelques Initiés, dont des médecins, s'interrogeaient vraiment sur les vertus de l'orgasme féminin, en particulier, des vertus inconnues de la cyprine sécrétée à ce moment-là.

— Vous avez un masque?

Je sortis de mon sac le masque de Catwoman, que j'enfilai. Il m'allait parfaitement et cachait ma chevelure rousse.

— Vous êtes à ravir, Alice. Allons-y maintenant. Je vous précède...

Je descendais derrière Bill Reich l'escalier en colimaçon et je vis une grande pièce. À une extrémité des canapés, des hommes, dont certains se connaissaient manifestement puisqu'ils plaisantaient entre eux, étaient assis. Beaucoup tenaient à la main une coupe de champagne et j'aperçus plusieurs bouteilles entamées dans des seaux à glace. À l'autre bout de la pièce, face aux canapés, il y avait un magnifique fauteuil voltaire tendu de velours bleu ponctué de fleurs de lis dorées.

— Messieurs, je vous présente Catwoman.

Les rires discrets et les applaudissements saluèrent mon apparition et je fis une révérence.

— Splendide! Merveilleuse!

— Comme d'habitude, messieurs, votre anonymat est garanti. Catwoman appartient au meilleur monde et elle a compris la philosophie de notre projet. Vous n'avez donc aucunement à vous inquiéter.

En effet, bien que la lumière fût basse, les halogènes étant réglés au minimum, je reconnus mon trentenaire de l'ascenseur, mais aussi un certain nombre d'hommes que j'avais croisés soit dans le cadre de mon travail avec le conseiller Farlowe, soit au cours de mes sorties mondaines avec Gene.

Ce fut une expérience inédite et délicieuse.

Une fois assise sur le fauteuil voltaire, je remontais ma jupe Prada: je n'avais pas mis de petite culotte et, en voyant apparaître directement ma touffe rousse, il y eut des murmures d'approbation à l'autre bout de la pièce.

Bill Reich, debout à mes côtés, me chuchota :

— Bravo, Alice, splendide initiative.

Il ajouta cette phrase étrange :

— J'en parlerai à qui de droit.

Les vingt-quatre hommes se succédèrent entre mes cuisses et cela prit près de trois heures, qui me semblèrent passer à la vitesse de l'éclair.

Il y avait quelque chose de troublant à les voir se lever, marcher vers moi, me sourire ou, au contraire, me regarder d'un air grave avant de s'agenouiller et de commencer à me lécher.

Parfois, avant ou après, ils me baisaient la main.

Ce fut un long, un très long orgasme.

Moi qui avais craint de me lasser ou de finir par trouver cela pénible, ce fut exactement le contraire. À chaque nouveau passage, je jouissais et je mouillais encore plus. Je me transformais en fontaine et chaque orgasme me traversait de façon encore plus forte, tétanisant mes muscles qui se relâchaient aussi vite dans une bienheureuse détente avant que, de nouveau, une tête se presse contre mes cuisses.

Les vingt-quatre se montrèrent d'une virtuosité étourdissante, et quelques variantes pimentèrent la séance. Ce ne fut que vers le dixième que je remarquai qu'ils avaient tous sur la face arrière du lobe droit un discret tatouage représentant un soleil noir enfermé dans une roue.

La Marque.

La Marque des Initiés.

Mais je ne le savais pas encore.

Néanmoins, quand je repris mes esprits, cette marque ne laissa pas de m'intriguer, comme m'avait intriguée, à l'extrême bout de mon champ de vision, cette impression qu'une silhouette, depuis l'ombre de l'étage du duplex, observait ce qui se passait.

Cette marque, je la vis très clairement aussi sur le lobe de Bill Reich quand il me raccompagna jusqu'à mon CLK. Quand il se pencha pour m'embrasser chastement sur la joue avec un sourire radieux, il me dit :

— À bientôt, Alice, à bientôt.

J'eus alors la certitude qu'une révélation approchait et qu'il ne parlait plus seulement de notre prochaine séance sur le divan.

24

Assez rapidement, après cette étrange et délicieuse séance à Tribeca, je découvris par hasard la chaîne de télé UlSub – pour Ultimate Submission.

J'étais, comme de bien entendu, seule dans notre grande maison de Long Beach. Gene participait pour plusieurs semaines encore, m'avait-il dit, à un audit des principales succursales de la WWIB à Athènes. Notre conversation avait eu lieu le lendemain de mes orgasmes suscités par les vingt-quatre hommes – et dont certains, je le savais, étaient des proches collaborateurs de Gene. Je me suis demandé ce que Gene aurait dit si je lui avais annoncé tout de go :

— Tu sais, ton responsable des portefeuilles clients institutionnels, mais si, tu sais, le jeune blond très grand avec qui nous avons dîné au Waldorf, il y a trois mois, eh bien, figure-toi qu'il était le quinzième homme, hier soir, à m'avoir léchée avec une grande maîtrise, trouvant d'instinct le clitoris sur lequel il s'est concentré avec une langue fine mais râpeuse, juste ce qu'il fallait.

Aurait-il été déstabilisé, se serait-il mis en colère, aurait-il enfin quitté cette attitude froide, polie, bien-veillante, pour soit demander le divorce une fois rentré, soit se jeter sur moi pour me punir, me punir enfin, à coups de ceinture, avant de me prendre avec férocité pour se venger de l'offense que je lui aurais faite ?

Voir la colère, la fureur et le désir de vengeance animer son corps qui me convenait si bien, sentir son sexe aux proportions démesurées me dévaster sous l'effet de la rage, finalement, n'est-ce pas pour cela que j'avais accepté l'étrange proposition du Dr Bill Reich ?

Oui, bien sûr, mais j'y avais aussi découvert clairement que tout ce que j'avais pressenti durant ma jeunesse, au lycée Mason puis à la fac, n'était pas seulement des fantasmes d'une fille aux hormones en surchauffe mais correspondait aussi à ma nature profonde : je ne pouvais vivre le sexe que de manière extrême car, de cette façon, il m'apportait non seulement la jouissance mais aussi un moyen d'aller encore plus haut, encore plus loin dans la perception du monde.

Lors de la cérémonie avec les vingt-quatre hommes, il y eut un moment où j'eus l'impression de me dédoubler à force de plaisir, d'être à la fois assise comme une reine dans mon fauteuil voltaire et d'avoir l'esprit qui flottait par-dessus la ville, de faire l'amour avec la lumière des étoiles, celle des gratte-ciel d'Isola, et de m'introduire dans les propres sensations de tous ceux qui faisaient l'amour à ce moment-là, participant ainsi simultanément à des dizaines de milliers de coïts et, qui sait, d'aider ces couples à monter vers le plaisir grâce à mon invisible présence.

Au téléphone, Gene me devança et me dit, d'une voix que je devinais souriante :

— Bill Reich te demande peut-être des choses étranges, des choses qui pourraient te sembler offenser l'idée que tu te fais de la fidélité de notre couple. Alors, sache que tu peux refuser au nom de cette fidélité, mais que tu peux aussi accepter car c'est peut-être la voie pour que notre couple devienne vraiment un couple, et pour que tu trouves enfin le chemin que tu cherches depuis si longtemps, depuis le lycée Mason.

Je lui avais parlé de Mason, comme on raconte à son mari ses années d'études, mais je n'avais pas donné de précisions. Rien, par exemple, sur la nuit du bal et la révélation qu'avait été le trio formé par Jennifer Coyle, le vigile et le prof de géo, Jennifer les honorant tout en étant flagellée.

J'en avais parlé à Bill Reich, évidemment, mais pas à Gene. J'eus pourtant l'impression que Gene savait, dans les moindres détails. Bill lui racontait-il tout, au mépris de toute déontologie?

C'était plus compliqué. J'appris plus tard comment les informations circulaient parmi les Initiés. Le Prince disposait de relais dans les clubs de rencontres, les boîtes échangistes, les universités mais aussi dans les lycées… Il ne s'agissait pas de vils recruteurs qui auraient alimenté la production pornographique à des fins mercantiles. Il s'agissait plutôt de chasseurs de têtes, qui cherchaient à détecter la future élite. Joséphine Simpson en faisait partie. C'est elle qui très tôt avait repéré Jennifer Coyle, laquelle avait pris quelques années d'avance sur moi. Plus tard, je fus l'un de ces agents de recrutement, une fois mon Initiation achevée, mais c'est une autre histoire que je vous raconterai peut-être un jour.

Ce soir-là, après ma conversation avec Gene, je sentis bien que je ne dormirais pas. Alors je me livrais à un de mes vices préférés. Un zapping hypnotique sur l'écran plat du salon, en croquant des macarons de chez Ladurée et en buvant des Dr Pepper vanille cerise.

Je me forçais à payer ce genre d'excès en multipliant, à l'aube, les longueurs dans la piscine couverte et en effectuant, le midi, de la gym Pilates, ce qui chassait la culpabilité de ce suicide diététique.

Il devait y avoir sur notre bouquet satellite plusieurs centaines de chaînes, Gene ayant souscrit toutes les options possibles et imaginables alors qu'il ne la regardait jamais. Dans ces moments de régression insomniaque, les pieds repliés sous mes fesses, lovée dans un fauteuil club, je visionnais des films en noir et blanc, ayant gardé cet intérêt pour le cinéma européen de la Nouvelle Vague.

J'avais bien essayé les chaînes porno mais elles me semblaient toutes terriblement stéréotypées. Elles ne provoquaient que rarement, en moi, une émotion suffisante pour que je remonte ma nuisette, un modèle vintage en satin de chez Coemi que m'avait rapporté Gene d'un de ses voyages en France, et que je fasse aller mes doigts.

Jusqu'à cette nuit où je tombais, à 2 heures du matin précises, sur Ultimate Submission, canal 660. Tout de suite, je fus frappée par la beauté et la qualité des images, des décors et de la mise en scène. Quand il m'arrivait de superviser les conférences de presse du conseiller Farlowe, je savais au nombre des caméras présentes l'importance qui serait accordée à ses propos. Soit ce serait un ou deux plans identiques repris par toutes les chaînes, soit on aurait droit à un véritable show.

Les programmes diffusés par UlSub semblaient disposer de moyens hollywoodiens. Ils étaient présentés par un homme qu'on appelait le Prince, vêtu d'un smoking noir et d'un de ces masques blancs, vénitiens, qui retirent au visage toute expression. Il était assis derrière un magnifique bureau second Empire et on voyait, derrière lui, des toiles de grands peintres érotiques comme

Leonor Fini, Egon Schiele ou encore William Copley et Hilo Chen. Il annonçait d'une voix calme et mesurée, la philosophie de UlSub.

Ce n'était pas une chaîne porno supplémentaire. Ce n'était pas une chaîne porno, d'ailleurs, mais plutôt une chaîne qui permettait à des acteurs amateurs de savoir jusqu'où ils voulaient aller. Ils ne seraient pas payés mais, au contraire, c'est eux qui paieraient un droit d'entrée très élevé pour pouvoir tourner dans un film et explorer les limites de leur sexualité. 15 000 dollars, sachant que même en s'acquittant de cette somme, on pouvait très bien, au bout d'un premier essai, être recalé sans que le Prince, ou la chaîne, aient des raisons à donner, tout cela étant prévu par contrat. Le droit d'entrée garantissait ainsi des participants de qualité.

D'habitude, j'aurais souri devant une telle mise en scène mais deux détails me retinrent de zapper. La voix de celui qui était désigné comme le Prince, par un insert en bas de l'écran, était pleine d'une autorité naturelle, même si j'avais bien l'impression qu'un filtre quelconque en modifiait la tonalité. Elle captivait dans un mélange de distance et de mise en confiance.

Je fus également étonnée de voir, sur le mur derrière le bureau, une toile de Schiele représentant une femme se masturbant qui ressemblait fort à celle que Gene avait achetée aux enchères, peu de temps après notre mariage. Mais ce n'était sans doute pas la même, le sujet étant fréquent chez Schiele qui aimait bien les rousses en posture onaniste…

Gene m'avait dit, lors de cette vente : « Elle te ressemble un peu, je veux cette toile. » Ce qui m'avait paru un bel acte d'amour. Même si j'aurais préféré qu'il me fasse vraiment l'amour plutôt que de me faire vivre dans cette quasi-chasteté étrange, frustrante, mais à laquelle je prenais un plaisir paradoxal.

Ce soir-là, je vis mon premier film sur UlSub.

Et je fus bouleversée.

Il était tourné dans un de ces grands appartements néogothiques qui ont une vue imprenable sur la partie chic de Hancock Park. Le mobilier était d'origine européenne : j'avais fini par devenir une spécialiste à force de feuilleter les magazines de luxe sur l'ameublement et la décoration, pendant mes heures de solitude dans la maison de Long Beach.

C'étaient des meubles Majorelle, aux teintes acajou, dont les motifs floraux encadraient d'une douceur chaude une scène admirable, qui me fit presque monter les larmes aux yeux de plaisir et de frustration, tellement j'aurais aimé être à la place de la victime : une grande et belle jeune femme également masquée à la vénitienne.

Il y avait aussi deux hommes, entièrement vêtus de cuir rouge, non pas de combinaisons comme on peut en trouver dans les rayons SM des sex-shops, mais de luxueux costumes trois-pièces qui semblaient sur mesure.

J'eus comme un flash hypermnésique en me souvenant de la minijupe de Jennifer Coyle. Les deux hommes portaient, eux aussi, un masque, mais du même rouge que leur costume. Ils encadrèrent la femme et la forcèrent à se mettre à genoux.

— Tu vas subir ce qu'il a été prévu dans le pacte que tu as signé. Es-tu prête ? Sais-tu que le Prince te regarde ainsi que des Initiés ?

Elle acquiesça.

— Étape numéro 1 pour l'Apprentie.

Ils l'allongèrent sur le ventre sur une longue table, puis l'attachèrent. Elle se retrouva écartelée. Ses fesses formaient un arrondi admirable, pur, un véritable appel à la profanation

Ils commencèrent à la fouetter, ayant retiré d'un des replis de leurs vêtements d'impressionnants engins, de vrais outils pour dompteur dont les courroies enroulées autour du manche se déployèrent dans un claquement qui vit se tendre le corps de la fille et me força moi-même, presque malgré moi, à porter ma main vers mon sexe, la gorge sèche, le feu aux joues.

Alternativement, ils lui lacérèrent le dos. Sans colère, avec méthode et expertise.

La fille gémissait, des marques se dessinaient nettement sur ses fesses, son dos, le haut de ses cuisses fermes et pleines. À un moment, un des hommes en rouge se pencha vers elle et lui murmura quelques mots à l'oreille.

Je n'entendis pas ce qu'il lui dit mais sa réponse, qu'elle articula, essoufflée, d'une voix presque extatique :

— Non, encore ! Encore ! Jusqu'au bout.

Les deux hommes reprirent leur œuvre et les cris de la fille se transformèrent parfois en un rire profond, un rire souverain. Un rire qui n'avait rien à voir avec l'hystérie mais, au contraire, avec cette joie d'une essence supérieure que ceux et celles qui possédaient le don pouvaient trouver quand leurs fantasmes s'accomplissaient.

Elle dut recevoir une bonne quarantaine de coups. Je n'avais pas tenu le compte, mais j'avais tressauté à chacun des claquements, accentuant la pression de mes doigts sur mon sexe, allant jusqu'à retrouver, avec mon index et mon annulaire, mon point G, ce qui me fit jouir.

— Cela suffit, maintenant, dit un des hommes en rouge. Tu reviendras la semaine prochaine pour l'étape numéro 2.

Ils détachèrent la jeune femme, presque avec tendresse.

Ils l'aidèrent à se remettre sur pied. J'aurais tellement aimé voir son visage, tellement aimé voir le masque de l'extase, la vraie. Je pressentais qu'elle avait atteint un stade supérieur et j'aurais tout donné pour la rejoindre.

Un des deux hommes présenta le dos martyrisé à une caméra, mais ce n'était pas seulement pour que le spectateur puisse contempler le troublant réseau des lacérations, qui composaient une sorte de message dans un alphabet inconnu, une langue extraterrestre. Non, il voulait soulever le masque sans que la fille soit reconnue, sans doute pour contempler ce que j'aurais voulu voir, le visage même de l'orgasme, mais aussi et surtout pour l'embrasser, longuement, amoureusement, sans que les spectateurs puissent découvrir qui ils étaient.

Ce geste amoureux, après cet instant de sauvagerie raffinée, m'émut profondément et j'eus une révélation : la soumission était une forme supérieure de l'amour.

Celui qui était désigné comme le Prince apparut alors de nouveau et donna rendez-vous le lendemain sur UlSub, canal 660, à 2 heures du matin.

Je devins une spectatrice fidèle même si plusieurs détails me semblèrent intrigants. J'avais beau consulter les programmes TV les plus détaillés et les sites Internet, il était impossible de trouver la moindre chaîne du nom d'UlSub.

J'avais aussi voulu enregistrer le premier film sur lequel j'étais tombée. J'avais appuyé d'instinct sur la touche de la télécommande qui permet un enregistrement automatique du programme. Le problème est qu'il me fut impossible de revisionner le film quand je voulus goûter de nouveau au spectacle de cette magnifique séance de flagellation. Je crus à une fausse manœuvre de ma part. Mais ce fut le cas à chaque nouvelle tentative.

Je ne parvins pas, par exemple, à conserver la trace de cette belle orgie qui rassemblait plus de cinquante personnes, avec le Prince, dans son éternel smoking, qui trônait sur une cathèdre que l'on aurait crue sortie d'un film sur le Moyen Âge.

Je pus mesurer les moyens dont disposait UlSub quand je m'aperçus, au bout de quelques minutes, que cette orgie se déroulait au dernier étage du MoMA, le musée d'art moderne de la ville, et que des couples faisaient l'amour sous les toiles de Tom Wesselman, Andy Warhol ou Mel Ramos. C'était à peine croyable, tous habillés en smoking et en robe de soirée, tous masqués comme pour le carnaval de Venise ou une représentation de théâtre nô.

Les corps des hommes et des femmes n'avaient pas la plastique glacée, artificielle, des acteurs de pornos mais tous étaient désirables. C'étaient des corps entretenus, sains, bronzés. Il n'y avait donc pas besoin d'être un détective privé pour comprendre qu'entre le droit d'accès et le physique des participants, nous avions affaire à la haute société de la ville, ou au moins à une partie.

Et que le Prince régnait sur elle.

Parfois la caméra s'attardait sur un couple ou un trio. Je me souviens de cette grande femme mince, rousse comme moi, savamment entravée par des cordes faisant ressortir ses seins et la forçant à dévoiler son intimité : elle était posée tel un vase, sur un grand guéridon, sous une toile gigantesque de Erro représentant Mao et des gardes rouges sur le point d'investir la Maison Blanche. Elle était dans une position qui lui offrait la possibilité d'être pénétrée de toutes les manières possibles. Et ce fut le cas. Au moins une dizaine d'hommes vinrent l'honorer.

L'observateur averti remarquait que l'homme qui désirait prendre la femme entravée se présentait devant elle et penchait sa tête masquée. Si la femme ne réagissait pas, il passait son chemin. Si elle acquiesçait, il s'activait sur elle, forçant sa bouche, son sexe ou son cul. Elle pouvait accepter de recevoir deux hommes à la fois et il y eut même, à un moment, une femme entièrement nue à l'exception de son masque, au sexe rasé, qui s'approcha d'elle et lui prodigua un long cunnilingus. Elle était tenue en laisse par une autre femme habillée de cuir et de soie.

Le Prince, lui, impassible, se promenait parfois entre les corps entremêlés, une coupe de champagne à la main.

Plus le temps passait, plus mon excitation et ma perplexité montaient en intensité. À part Bill Reich, à qui j'avais confié ma découverte et qui m'affirma connaître UlSub et en être un ardent spectateur, personne n'en avait entendu parler lorsque je me risquais à évoquer le sujet avec toute la prudence requise.

Je profitais d'une fête chez le conseiller Farlowe, en l'honneur des dix-huit ans de sa fille, pour vérifier une intuition : pouvait-on recevoir UlSub sur n'importe quel téléviseur ? Vers 2 h 10 du matin, alors que ça buvait pas mal dans le salon et que les plus jeunes continuaient de danser jusque sur la pelouse, je demandai les toilettes que l'épouse du conseiller m'indiqua. J'en profitai pour monter à l'étage à la recherche d'une télé.

Si on me surprenait, je pourrais toujours prétexter que j'étais un peu pompette, ce qui était vrai, et que je m'étais égarée dans la grande maison.

Je m'installais dans une pièce hybride, mi-bureau mi-salon, sans doute utilisée par Mme Farlowe à en juger par la décoration. Je m'assis en tailleur devant l'écran plat, m'emmêlai un peu entre trois ou quatre télécommandes avant de trouver la bonne, celle qui correspondait au bouquet satellite que nous avions à Long Beach. 658, une chaîne équitation, 659, du téléachat, 660… rien. Pas même une mire pour indiquer la possibilité de s'abonner.

Je fis part de cette découverte à Bill Reich, dès le lendemain, lors de mon habituelle séance d'analyse et de régénérescence de «mon potentiel orgasmique». Il se montra d'abord évasif, me dit que je m'étais peut-être trompée, que j'avais bu, et lui l'avait bien regardée la veille. Je m'énervai un peu. J'avais, et je le lui dis, l'impression qu'on se jouait de moi.

Il me tint alors les propos suivants:

— Alice, UlSub est une chaîne qui existe bien mais elle est réservée à quelques Init… enfin je veux dire à quelques privilégiés. L'important est de savoir si vous avez envie de payer le droit d'entrée et de participer à un tournage.

— J'en crève d'envie, oui!

— Et que va en penser Gene?

— Je ne saurais vous dire pourquoi, mais j'ai l'impression qu'il attend des actes de ce genre de ma part, pour enfin être pleinement mon mari et m'amener là où il veut m'amener – et où, de toute manière, j'ai toujours voulu aller, sans doute. Je lui raconterai mon expérience à son retour. Ce sera comme un cadeau, surtout si l'on regarde ensemble le film auquel j'aurai participé. Vous ne croyez pas, Bill?

Bill Reich me sourit et hocha sa grosse tête sensuelle de sanglier.

— Alors, allez-y, Alice!

25

Je franchis donc le pas.

Je contactai Ulsub par mail après avoir relevé sur le bandeau, en bas de l'écran, l'adresse Internet. On me répondit en me fixant un rendez-vous dans un bar d'un grand hôtel, extrêmement bien fréquenté, à une heure de forte affluence.

On m'y attendrait.

Je m'y rendis vers 18 heures, un peu en avance, décidée à ne pas me laisser surprendre même si je sentais que je n'avais rien à craindre.

Je la reconnus tout de suite.

Malgré les années qui avaient passé.

Joséphine Simpson n'avait pas vieilli. Elle était toujours habillée de la même façon. À la place de la pile des dossiers d'élèves, il y avait devant elle un Alexandra auquel elle ne touchait pas.

— Je suis très heureuse de vous revoir, Alice Graham. Ou sans doute devrais-je dire madame Chandler. Vous avez bien failli vous perdre…

J'allais lui répondre que je connaissais très bien Isola et qu'il n'y avait aucun risque, mais je compris ce qu'elle avait voulu dire. Toutes ces années de glaciation au cours desquelles ma machine à fantasmes s'était enrayée.

— Heureusement, M. Chandler vous a retrouvée, et il a senti tout le potentiel qu'il y avait en vous.

Il a senti ce que vous possédiez ce que nous appelons parfois, faute de mieux, le don. Et vous semblez exceptionnellement douée. Les analyses de Bill Reich sont formelles.

Je commandai un *latte* au citron que l'on m'apporta aussitôt.

Autour de nous, tout n'était que luxe et sérénité. Mais je savais pourtant que j'étais entrée dans une autre dimension, sorte d'univers parallèle invisible au commun des mortels.

— Vous avez bien compris, Alice, que cette année, disons, un peu morne avec votre mari était une phase d'observation. Votre thérapie avec ce cher Bill Reich également.

Elle but une gorgée de son Alexandra et passa une langue acérée, une langue presque serpentine, sur ses lèvres toujours aussi minces.

— Vous connaissez Gene, mademoiselle Simpson ? demandai-je.

— Appelez-moi Joséphine… Depuis le temps… Oui, je suis une de ses collaboratrices. J'ai eu la chance de grimper assez vite les échelons…

— À la WWIB ? Je ne vous y ai pourtant jamais vue ?

Elle eut son rire rauque qui, lui non plus, n'avait pas changé.

— Ne jouez pas les naïves, ma chère, ça ne vous va pas au teint. La finance n'est pas le seul secteur d'activité de votre mari. On pourrait même dire, sans trahir un secret, que la WWIB est surtout un écran et une base pour d'autres… d'autres explorations.

À ce moment-là, une silhouette surgit comme par magie derrière le fauteuil de Joséphine Simpson.

Lui non plus, même dans son très élégant costume sombre, n'avait pas changé.

L'officier de police Blisko.

Et je revis le jardin enneigé de la maison de mes parents à Brookside.

Puis l'arrestation après le bal de fin d'année.

Tout cela était si proche, si loin.

Il me salua d'une inclinaison de la tête.

Cet homme qui, des années plus tôt, m'avait délicieusement humiliée près d'une patrouilleuse, dans une rue déserte, la nuit, en pénétrant mon intimité de ses doigts épais.

Il se pencha sur le fauteuil.

— Joséphine, on peut y aller. La voiture du Prince est arrivée, elle nous attend à l'arrière de l'hôtel.

La grande verrière qui surplombait le bar dévoilait le ciel de la ville sombrant dans la nuit avec un splendide dégradé d'ocre et de rouge mêlés.

En se retournant à demi, Josephine Simpson posa sa main sur celle de Blisko. Elle lui répondit dans un sourire qui transforma son visage et me laissa penser que mes fantasmes de l'époque les concernant, elle et lui, devaient être bien proches de la réalité :

— Nous y allons, mon ami, nous y allons.

Puis s'adressant à moi :

— Vous venez, Alice ?

— Et les 15 000 dollars de droit d'entrée ? Je ne les ai pas sur moi…

— Le Prince, en l'occurrence, acceptera une dérogation, j'en suis convaincue. Vos garanties sont, disons, suffisantes…

Nous sommes sortis par une porte dérobée que nous ouvrit un maître d'hôtel manifestement complice. Nous débouchâmes sur un parking désert à l'exception d'une immense limousine noire aux vitres fumées.

Blisko et Joséphine montèrent à l'avant.

La portière passager s'ouvrit en douceur et je grimpai à l'intérieur. L'habitacle, isolé comme une bulle, était aussi grand qu'un salon, seulement éclairé par des écrans d'ordinateurs portables.

Le Prince était assis sur la banquette.

Il retira son masque blanc.

— Bonsoir, Alice…

— Gene !

— Prête pour ton Initiation, mon amour ? La route a été longue, non ?

— Oui, mon amour, très longue.

— Alors, tout peut commencer…

Et il m'embrassa, comme on embrasse une première fois, tandis que la limousine démarrait en douceur et se glissait dans la circulation de la ville, de la ville immense.

Oui, tout pouvait commencer.

Oui, tout allait commencer.

Cet ouvrage a été composé
par Atlant'Communication
au Bernard (Vendée)

Achevé d'imprimer sur Roto-Page
par l'Imprimerie Floch à Mayenne
en février 2013
pour le compte des Presses du Châtelet